KT-199-800

Barcelona

24 karte

Der historische Kern

Ciutat Vella

Ciutat Vella ist der historische Kern von Barcelona, Kataloniens Hauptstadt, die bis zur Mitte des 19. Jh. von einer Stadtmauer umgeben war. Ein Labyrinth verwinkelter Straßen bildet den Grundriss dieses Distrikts und Spuren von zweitausend Jahren Geschichte sind hier zu finden: vom römischen Barcino bis zur Stadt des 21. Jh., die bereits die globalisierte Welt widerspiegelt. Die 450 Hektar Fläche sind in vier Zonen unterteilt. Die zentrale ist das Gotische Viertel, der älteste Teil der Stadt. Links davon, jenseits der Rambla, befindet sich El Raval. Rechts das Gebiet, zu dem Sant Pere, Santa Caterina und La Ribera mit El Born gehören. Und unterhalb La Barceloneta, das Hafenviertel aus dem 18. Jh.

Absolutes Muss

→ 1 C2 KATHEDRALE VON BARCELONA

Pla de la Seu | www.catedralBarcelona.org
Barcelona verdankt die gotische Kathedrale dem Eigensinn seiner Bürger: Über sechs Jahrhunderte zog sich der Bau hin, vom 13. bis zum 19. Jh. Sie erhebt sich da, wo die ehemalige römische Stadt endete. Sie hat drei Kirchenschiffe mit Kreuzrippengewölbe, die Fassade wird von zwei achteckigen Türmen eingerahmt. Sehenswert ist der schattige Kreuzgang mit den Obstbäumen, wo das Plätschern des Brunnens und die Gänse für eine ganz romantische Stimmung sorgen.

→ 1 C2 PICASSO-MUSEUM

Carrer Montcada, 15-23 | Tel. 93 256 30 00 | www.museupicasso.Barcelona.cat
Pablo Picasso wurde in Barcelona zum Maler ausgebildet, und hier, im Picasso-Museum, befindet sich neben herausragenden späteren Werken die beste Sammlung des Schaffens seiner Jugendzeit. Das Museum ist ein Komplex von fünf mittelalterlichen Palästen in der Carrer Montcada. Die restaurierten Gebäude bewahren ihr ursprüngliches Äußere, im Inneren bieten sie einen einzigartigen künstlerischen Schatz, der dieses Museum zu einer der Hauptsehenswürdigkeiten von Barcelona macht.

→ 1 C2 PALAU DE LA MÚSICA CATALANA 🏛

Sant Pere més alt, s/n | Tel. 93 295 72 08 | www.palaumusica.cat
Domènech i Montaner schuf mit dem Palau de la Música ein Juwel des Modernisme: einen grandiosen Konzertsaal mit farbenprächtiger Verzierung, die Summe seines architektonischen Talents und der Kunst der einheimischen Handwerker. Zwischen 1905 und 1908 erbaut, ist der Palau der Ort des musikalischen Geschehens par Excellence. Jedes Jahr gibt es hunderte von Konzerten; ein Saal für Kammerkonzerte und verbesserte Einrichtungen sind vor kurzem bei einem Umbau hinzugekommen. Führungen finden statt.

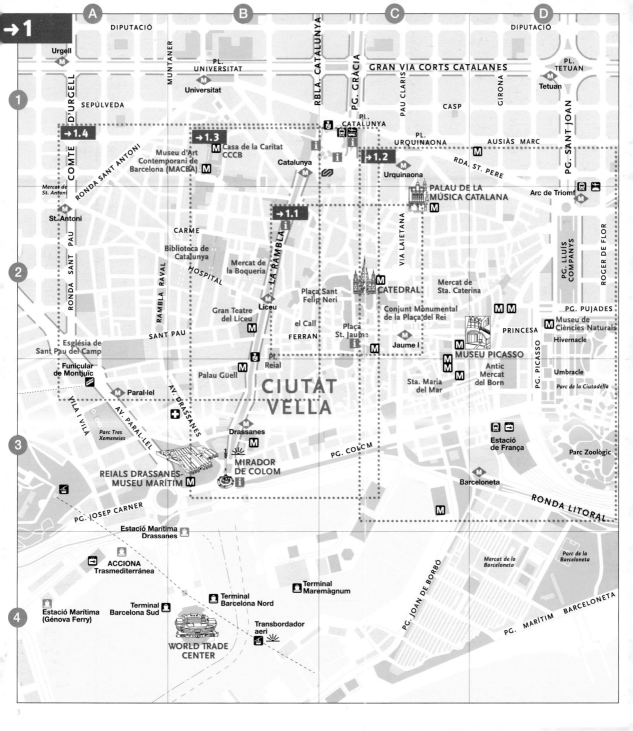

A B C D

DIPUTACIÓ DIPUTACIÓ

Urgell

MUNTANER

RBLA. CATALUNYA

PG. GRÀCIA

GRAN VIA CORTS CATALANES

PL. TETUAN

PL. UNIVERSITAT

Tetuan

PG. SANT JOAN

Universitat

SEPÚLVEDA

PAU CLARIS

CASP

GIRONA

→1.4

COMTE D'URGELL

RONDA SANT ANTONI

Museu d'Art Contemporani de Barcelona (MACBA)

→1.3

Casa de la Caritat CCCB

Catalunya

PL. CATALUNYA

PL. URQUINAONA

AUSIÀS MARC

RDA. ST. PERE

Arc de Triomf

Mercat de St. Antoni

St. Antoni

→1.2

Urquinaona

PALAU DE LA MÚSICA CATALANA

PG. LLUÍS COMPANYS

ROGER DE FLOR

RONDA SANT PAU

CARME

BIBLIOTECA de Catalunya

→1.1

VIA LAIETANA

Mercat de la Boqueria

Liceu

CATEDRAL

Mercat de Sta. Caterina

Museu de Ciències Naturals

HOSPITAL

RAMBLA RAVAL

Gran Teatre del Liceu

Plaça Sant Felip Neri

el Call

Conjunt Monumental de la Plaça del Rei

PRINCESA

Hivernacle

SANT PAU

FERRAN

Plaça St. Jaume

Jaume I

MUSEU PICASSO

PG. PICASSO

Umbracle

Església de Sant Pau del Camp

Pl. Reial

Palau Güell

Antic Mercat del Born

Parc de la Ciutadella

Funicular de Montjuïc

CIUTAT VELLA

Sta. Maria del Mar

VILA I VILA

Paral·lel

AV. PARAL·LEL

AV. DRASSANES

Parc Tres Xemeneies

Drassanes

PG. COLOM

Estació de França

Parc Zoològic

REIALS DRASSANES-MUSEU MARÍTIM

MIRADOR DE COLOM

Barceloneta

RONDA LITORAL

PG. JOSEP CARNER

Estació Marítima Drassanes

ACCIONA Trasmediterránea

PG. JOAN DE BORBÓ

Mercat de la Barceloneta

Parc de la Barceloneta

PG. MARÍTIM BARCELONETA

Terminal Barcelona Sud

Terminal Barcelona Nord

Terminal Maremàgnum

Estació Marítima (Génova Ferry)

Transbordador aeri

WORLD TRADE CENTER

Barri Gòtic

Im Gotischen Viertel gibt es immer noch Spuren der alten Stadt. Sie entstand auf dem römischen Barcino, das auf dem Hügel Taber erbaut worden war. In den engen, gepflasterten Gassen finden wir Spuren der mittelalterlichen Stadt und des jüdischen Viertels. Neben hundertjährigen Kirchen, verschiedenen Museen und idyllischen Plätzen gibt es hier moderne Geschäfte in Fußgängerzonen, von Touristen belebte Straßen wechseln mit stillen Winkeln ab.

Kathedrale von Barcelona →1C2 →1.1 B2

Picasso-Museum →1C2 →1.1 B3

Palau de la Música Catalana →1C2 →1.2 B2

◆◆◆ **Barcelona Walks**
Gòtic
2-stündige Führung. Das Barri Gòtic vereint Vergangenheit und Gegenwart in seinen Straßen, Winkeln und Plätzen. U.a. wird der Kreuzgang der Kathedrale, der Innenhof des Königspalastes und die Hofkapelle Santa Àgata besucht sowie die Plaça del Rei, Plaça de Sant Felip Neri und Plaça de Sant Jaume. Preis: Erwachsene, 12,5 €; Kinder, 5 €. Zeiten: Mo - So, 10 h (Englisch); Samstag 12 h (Katalanisch + Spanisch). Treffpunkt Informationsbüro von Turisme de Barcelona (Ciutat, 2).

Römische Route
Barcelona wurde von den Römern unter Kaiser Augustus (15 -10 v. Chr.) gegründet. Zahlreiche archäologische Reste sind bei einem Spaziergang durch die Straßen noch zu sehen (u.a. Augustus-Tempel, Aquädukt, Stadtmauer, Nekropole). Im Museu d'Història de Barcelona (Plaça del Rei) gibt es einen kostenlosen Führer für den Rundgang. An jedem der 12 gekennzeichneten Punkte informiert eine Tafel auf Katalanisch, Spanisch und Englisch.

Route durch das jüdische Viertel
Auch wenn das mittelalterliche jüdische Viertel von Barcelona (El Call) klein war, so war es doch ein bedeutendes kulturelles Zentrum im Mittelmeerraum zwischen dem 11. und 14. Jh. 2008 wurde das Centre d'Interpretació del Call (Placeta Manuel Ribé s/n) im Haus (aus dem 14. Jh.) des Rabbiner oder Alchimisten eröffnet. Dort startet die Route zu den interessantesten Punkten des jüdischen Erbes. An jedem dieser Punkte gibt es eine Informationstafel auf Katalanisch, Spanisch und Englisch.

Museen
DIOZESAN-MUSEUM
Av. de la Catedral, 4 →1.1 B1
Mehr als 3.000 Werke von der Zeit der Westgoten bis ins 21. Jh., im Gebäude Pia Almoina im gotischen und Renaissance-Stil.
MUSEUM FREDERIC MARÈS
Pl. de Sant lu, 5-6 →1.1 B2
www.museumares.bcn.cat
Skulpturen aus vorrömischer Zeit bis ins 20. Jh. und tausende von Gebrauchsgegenständen aus dem 19. Jh.
MUSEUM DER KATHEDRALE
Pla de la Seu, s/n →1.1 B2
www.catedralbcn.org

Sammlung religiöser Kunst der Handwerkszünfte und der Könige, die Jahrhunderte hindurch in der Stadt herrschten.
SCHUHMUSEUM
Pl. de Sant Felip Neri, 5 →1.1 A2
Einen Einblick in die Schuhgeschichte erhält man im ehemaligen Haus der Schuhmacherzunft.

Restaurants
ATENEU GASTRONÒMIC
Pl. Sant Miquel, 2 bis →1.1 A2
T 93 302 11 98
(20-30 €) +MITTAGSMENÜ
Mediterrane und katalanische Küche. Gäste mit Vorliebe fürs Viertel.
CAFÈ DE L'ACADÈMIA
Pl. de Sant Just, s/n →1.1 B2
T 93 319 82 53
(20-40 €) + MITTAGSMENÜ
Reizvolles Lokal, Terrasse im Sommer. Saisonale katalanische Küche.
EL GRAN CAFÈ
Avinyó, 9 →1.1 A2
T 93 318 79 86
(20-40 €) + TÄGLICH MENÜ
Mit geschmackvoller modernistischer Dekoration, gelungene Auswahl von Gerichten der traditionellen katalanischen Küche.
EL PINTOR
Sant Honorat, 7 →1.1 A2
T 93 301 40 65
(30-50 €) + MITTAGSMENÜ
Romantisches Lokal in einem ehemaligen

Map labels:
LA RAMBLA — Ateneu Barcelonès — PL. VILA DE MADRID — CANUDA — AV. PORTAL DE L'ANGEL — COMTAL — A — B — PALAU DE LA MÚSICA CATALANA — BOT — Palau Moja — PLAÇA CARLES PI I SUNYER — CAPELLANS — N-AMARGOS — MONTSIÓ — MACDALENES — PL. PEIXOS — SANT PERE MÉS BAIX — 1 — PORTAFERRISSA — DUC DE LA VICTORIA — COPONS — DR. JOAQUIM POU — VIA LAIETANA — Liceu Ⓜ — PL. CUCURULLA — ARCS — SAGRISTANS — CAPELLANS — BEATES — el Gòtic — PI — ROCA — PETRITXOL — PALLA — AV. CATEDRAL — PLA DE LA SEU — Museu Diocesà de Barcelona Ⓜ — PL. ANTONI MAURA — MERCADERS — Casa de l'Ardiaca — SANTA LLÚCIA — Pl. del Pi — Sant Felip Neri — PL. SANT FELIP NERI — PL. SANT JOSEP ORIOL — Museu del Calçat — Museu de la Catedral Ⓜ — CATEDRAL — Museu Frederic Marès Ⓜ — Santa Caterina — CARDENAL CASAÑAS — Esglésía de Santa Maria del Pi — NOUS — ST. DOMÈNEC DEL CALL — ST. HONORAT — BISBE — PL. SANT IU — PL. RAMON BERENGUER EL GRAN — PLACETA DEL PI — PIETAT — COMTES — Pl. del Rei Ⓜ — BOQUERIA — QUINTANA — RAURIC — BANYS — AVINYO — el Call — CALL — PARADÍS — Palau de la Generalitat — Temple d'August — LLIBRETERIA — Museu Història Barcelona (MUHBA) Ⓜ — Jaume I Ⓜ — BÒRIA — PLAÇA ÀNGEL — FERRAN — Pl. St. Jaume — JAUME I — Casa de la Ciutat (Ajuntament) ⓘ — PRINCESA — ESCUDELLERS — LLEONA — PAS DE L'ENSENYANÇA — CIUTAT — PL. SANT MIQUEL — PL. SANT JUST — LA PALMA DE SANT JUST — Jaume I Ⓜ — Palau Moxó — 2 — Pl. Reial

---

Maleratelier. Gehobene katalanische Küche.

IRATI TAVERNA VASCA
Cardenal Casañas, 17 →1.1 A2
T 93 302 30 84
(30-50 €)
Eines der ersten baskischen Restaurants in Barcelona. Tapas und Spieße.

KOY SHUNKA
Copons, 7 →1.1 B1
T 93 412 49 91
(50-60 €) + DEGUSTATIONSMENÜ
Kleines Lokal mit japanischer Haute Cuisine mit katalanischem Touch.

NONELL
Pl. d'Isidre Nonell, s/n →1.1 B1
T 93 301 13 78
(30-40 €) + MITTAGSMENÜ
Mediterrane Küche sowie Fusion Food mit exotischen Einflüssen.

SELF NATURISTA
Santa Anna, 11 →1.3 B1
T 93 318 26 84
(10-20 €) + MITTAGSMENÜ
Eines der ersten vegetarischen Restaurants in Barcelona.

Durchgehend Selfservice.

Cafés + Bars

BAR DEL PI
Pl. de Sant Josep Oriol, 1 →1.1 A2
Café und Tapas-Bar, auf der schönen Terrasse kann man das Ambiente des Viertels genießen.

BODEGA LA PALMA
La Palma de Sant Just, 7 →1.1 B2
Traditionelle Bodega mit ausgezeichneten katalanischen Wurstwaren.

CAELUM
Palla, 8 →1.1 A2
Laden mit Erzeugnissen aus verschiedenen Klöstern, die man im Café in situ probieren kann.

EL MESÓN DEL CAFÉ
Llibreteria, 16 →1.1 B2
Seit 1909, die Dekoration stammt von 1929. Winziges Lokal mit gutem Kaffee.

EL PARAIGÜA
Pas de l'Ensenyança, 2 →1.1 A2
Historische Cocktailbar

und Café. Modernistische Innenausstattung. Life-Musik, Ausstellung.

ELS QUATRE GATS
Montsió, 3 →1.1 B1
Legendäres Künstlerlokal (Picasso verkehrte hier) vom Ende des 19. Jh., mit Jugendstil-Dekoration. Abends Musik.

GRANJA LA PALLARESA
Petritxol, 11 →1.1 A1
Seit 1947 wird hier eine der besten Trinkschokoladen der Stadt serviert.

Geschäfte

ARTUR RAMON
Palla, 10 →1.1 A2
Schon seit vier Generationen lockt dieses Antiquariat die Sammler an.

BCN ORIGINAL
Ciutat, 2 →1.3 B2
Pl. de Catalunya, 7→1.3 B1
Vielfältiges Angebot an Souvenirs, alle durch Barcelona inspiriert.

CERERIA SUBIRÀ
Llibreteria, 7 →1.1 B2
Die besten Kerzen seit

1761. Inneneinrichtung im Barockstil.

DEULOFEU 1918
Call, 30 →1.1 A2
Seit einem Jahrhundert kleiden sich hier die Barceloneser ein.

GANIVETERIA ROCA
Pl. del Pi, 3 →1.1 A2
Seit fast hundert Jahren das Fachgeschäft für Messer und Taschenmesser, mit den besten Marken Europas.

LA COLMENA
Pl. de l'Àngel, 12 →1.1 B2
Ein Klassiker unter den Konditoreien (seit 1928). Außer Torten und Turrón gibt es hier die ältesten selbstgemachten Bonbons Spaniens.

LA MANUAL ALPARGATERA
Avinyó, 7 →1.1 A2
Seit siebzig Jahren Verkauf von Alpargatas, den aus pflanzlichen Materialien hergestellten Schuhen.

SOMBRERERIA OBACH
Call, 2 →1.1 A2
Legendäres Geschäft (seit 1924) für Hüte, Mützen und Baskenmützen.

XOCOA
Petritxol, 11 →1.1 A1
In Barcelona gegründetes Schokoladengeschäft , Markenzeichen sind die Innenausstattung und die Qualität des Kakaos.

Außerdemn

CARRER PETRITXOL
→1.1 A1
Das Sträßchen mit den beliebten Granjas gibt es schon seit 1465, wenngleich die heutigen Häuser aus dem 18. und 19. Jh. stammen (nennenswert die Kunstgalerie Sala Parés, 1840 gegr.). Es beginnt an der Plaça del Pi mit der gotischen Kirche, deren Rossette einen Durchmesser von 10 m hat.

CASA DE L'ARDIACA
Santa Llúcia, 1 →1.1 B2
Gotischer Palast aus dem 15. Jh. mit Renaissance-Fassade, direkt an der römischen Stadtmauer.

TEMPLE D'AUGUST
Paradís, 10 →1.1 B2
Überreste des römischen Augustus-Tempels.

Carrer Petritxol →1.1A1

Kirche del Pi →1.1A2

Temple d'August →1.1B2

Carrer del Bisbe →1.1B2

Sehenswertes

→ 1.1 B2
GEBÄUDE·ENSEMBLE AN DER PLAÇA DEL REI
Plaça del Rei, s/n
T 93 256 21 22
www.museuhistoria.bcn.cat
Die glanzvolle Zeit des Mittelalters in Katalonien ist noch an der Plaça del Rei zu sehen, einem der schönsten Ensemble des Barri Gòtic. Das Hauptgebäude ist der Königspalast mit seiner Freitreppe aus der Renaissance, innen der Saló del Tinell und die Reihe von Bögen, die ihn mit dem Turm Rei Martí verbinden. Der Palau del Lloctinent und die schlichte Kapelle Santa Àgata vervollständigen den Komplex. Auf der anderen Seite des Platzes steht die Casa Padellàs, in der sich das Museu d'Història de Barcelona befindet und wo unter der Plaça del Rei die römischen und vorchristlichen archäologischen Reste zu sehen sind.

MUHBA →1.1 B2

Saló del Tinell →1.1 B2

→ 1.1 B2
PLAÇA DE SANT JAUME
Die Plaça de Sant Jaume ist der Sitz der Macht. Auf einer Seite der Palau de la Generalitat, mit seiner Renaissance-Fassade, Sitz der katalanischen Landesregierung. Auf der anderen Seite das Rathaus mit dem Saló de Cent, seit dem 14. Jh. Versammlungsort der Bürger der Stadt.
www.gencat.cat
www.bcn.cat

Plaça de Sant Jaume →1.1 B2

→ 1.1 A2
EL CALL UND LA PLAÇA DE SANT FELIP NERI
Das ehemalige jüdische Viertel von Barcelona, El Call, war vom 11. – 14. Jh. das kulturelle Zentrum Kataloniens, hier tauschten Ärzte, Philosophen, Mathematiker und Astronomen ihr Wissen aus und verbreiteten es.

Plaça de Sant Felip Neri →1.1 A2

El Born + La Ribera

La Ribera bedeutet 'Gestade', und das im 18. Jh. außerhalb der Stadtmauern entstandene Viertel bezeugt einzigartig die Beziehung der Stadt mit dem Meer. Ein Teil wurde für den Bau einer Zitadelle wieder abgerissen, an deren Stelle entstand später ein Park. Die mittelalterlichen verwinkelten Straßenzüge sind noch erhalten. Sehenswert sind die Kirche Santa Maria del Mar, El Born und Santa Caterina.

◆◆◆ **Barcelona Walks**
Picasso
2-stündige Führung, um Leben und Werk des großen Malers in Barcelona kennen zu lernen. Der Rundgang führt u.a. zu Els Quatre Gats, der Architektenkammer, Sala Parés, durch die Straßen Escudellers Blancs, Avinyó, de la Plata, Porxos d'en Xifré, zum Palast Llotja de Mar und ins Viertel La Ribera und endet im Picasso-Museum. Preis: Erwachsene, 19 €; Kinder, 7 € (inkl. Eintritt für das Museum). Termine: Di-Do-So, 10 h (Englisch); So, 12 h (Katalanisch + Spanisch). Treffpunkt Informationsbüro von Turisme de Barcelona (Pl. de Catalunya, 17-s).

Museen
MUSEU BARBIER-MUELLER D'ART PRECOLOMBÍ
Montcada, 14 →1.2 B3
www.barbier-mueller.ch
Eine der wertvollsten Sammlungen präkolumbischer Kunst in Europa.
DISSENY HUB BARCELONA
Montcada, 12 →1.2 B3

www.dhub-bcn.cat
Bis zum endgültigen Umzug an die Pl. de les Glòries ist hier ein Teil der Sammlungen des Produkt- und Modedesigns zu sehen.
MUSEU DE LA XOCOLATA
Comerç, 36 →1.2 B2
www.pastisseria.cat
Ein Rundgang zu den Ursprüngen der Schokolade, wie sie nach Europa kam und dort verbreitet wurde.

Restaurants
Mehr als 60 € → S. 58
COMERÇ 24 *
EL PASSADÍS D'EN PEP
* Michelin-Sterne

CAL PEP
Plaça de les Olles, 8 →1.2 B3
T 93 310 79 61
(40-50 €)
Sehr beliebt. Hausmannskost mit baskischem Einfluss und sehr gute Tapas.
CUINES DE SANTA CATERINA
Av. de Francesc Cambó, s/n →1.2 A2. T 93 268 99 18
(20-40 €)
Modern, großzügig, in der Markthalle Santa Caterina. Mediterrane, orientalische und vegetarische Küche.

SENYOR PARELLADA
Argenteria, 37 →1.2 A3
T 93 310 50 94
(25-40 €)
Restaurant mit Charme. Traditionelle katalanische Küche, großzügige Portionen.

Cafés + Bars
GIMLET
Rec, 24 →1.2 B3
Klassische Cocktailbar aus den Siebzigern, eine Hommage an Raymond Chandler. Jazz-Musik.
LA VINYA DEL SENYOR
Pl. de Santa Maria, 5 →1.2 A3
Große Auswahl an Weinen zu Fuet-, Schinken-, Käseplatten…
MIRAMELINDO
Passeig del Born, 15 →1.2 B3
Gedämpftes Licht, sanfte Musik und warmes Ambiente für einen guten Cocktail.
PITIN BAR
Passeig del Born, 34 →1.2 B3
Die älteste Bar im Viertel, klein, mit viel Charme.

Geschäfte
BUBÓ
Caputxes, 10 →1.2 A3
2005 war Carlos Mampel der beste Chocolatier der Welt, hier bietet er seine modernen Kreationen an.
CAFÉS EL MAGNÍFICO
Argenteria, 64 →1.2 A3
Großes Sortiment hochwer-

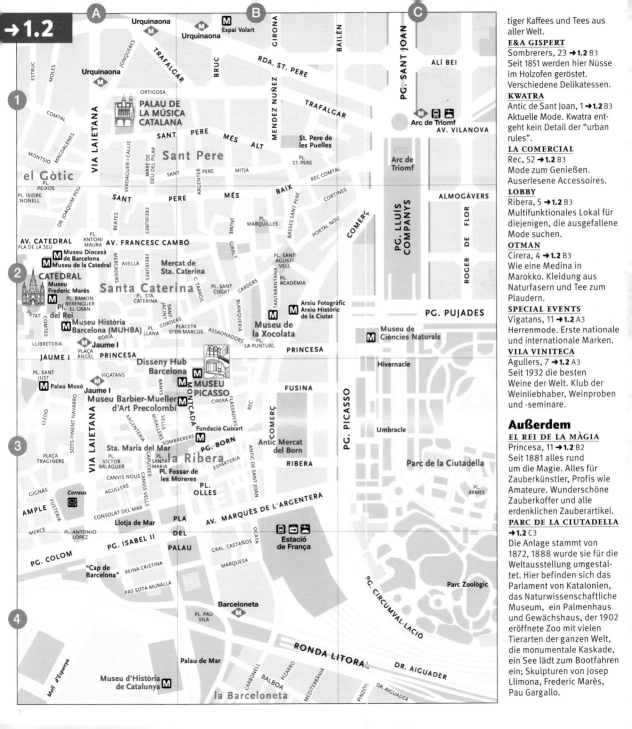

tiger Kaffees und Tees aus aller Welt.

E&A GISPERT
Sombrerers, 23 →1.2 B3
Seit 1851 werden hier Nüsse im Holzofen geröstet. Verschiedene Delikatessen.

KWATRA
Antic de Sant Joan, 1 →1.2 B3
Aktuelle Mode. Kwatra entgeht kein Detail der "urban rules".

LA COMERCIAL
Rec, 52 →1.2 B3
Mode zum Genießen. Auserlesene Accessoires.

LOBBY
Ribera, 5 →1.2 B3
Multifunktionales Lokal für diejenigen, die ausgefallene Mode suchen.

OTMAN
Cirera, 4 →1.2 B3
Wie eine Medina in Marokko. Kleidung aus Naturfasern und Tee zum Plaudern.

SPECIAL EVENTS
Vigatans, 11 →1.2 A3
Herrenmode. Erste nationale und internationale Marken.

VILA VINITECA
Agullers, 7 →1.2 A3
Seit 1932 die besten Weine der Welt. Klub für Weinliebhaber, Weinproben und -seminare.

Außerdem

EL REI DE LA MÀGIA
Princesa, 11 →1.2 B2
Seit 1881 alles rund um die Magie. Alles für Zauberkünstler, Profis wie Amateure. Wunderschöne Zauberkoffer und alle erdenklichen Zauberartikel.

PARC DE LA CIUTADELLA
→1.2 C3
Die Anlage stammt von 1872, 1888 wurde sie für die Weltausstellung umgestaltet. Hier befinden sich das Parlament von Katalonien, das Naturwissenschaftliche Museum, ein Palmenhaus und Gewächshaus, der 1902 eröffnete Zoo mit vielen Tierarten der ganzen Welt, die monumentale Kaskade, ein See lädt zum Bootfahren ein; Skulpturen von Josep Llimona, Frederic Marès, Pau Gargallo.

Sehenswertes

→ **1.2** A3
SANTA MARIA DEL MAR
Pl. de Santa Maria, 1
Die gotische Basilika
Santa Maria del Mar
aus dem 14. Jh. besticht
im Äußeren durch zwei
achteckige Türme und die
schöne Rosette. Im Innern
beeindrucken die Eleganz,
Höhe und Weite des
Schiffs und die schlanken,
schlichten Säulen, die das
Gewölbe tragen.

Santa Maria del Mar →**1.2** A3

→ **1.2** B3
EL BORN
Pl. Comercial, s/n
Ab 1876 war El Born mit
seiner Eisenstruktur ein
ganzes Jahrhundert lang der
Großmarkt von Barcelona.
Bei Ausgrabungen wur-
den Teile der Stadt aus
dem 18. Jh. freigelegt; ein
Kulturzentrum soll dort
entstehen.

El Born →**1.2** B3

→ **1.2** C2
MUSEU DE CIÈNCIES
NATURALS
Parc de la Ciutadella, s/n
T 93 319 69 12
www.bcn.cat
Das Kastell der Drei
Drachen im Parc de la
Ciutadella ist ein Werk von
Domènech i Montaner.
Seit 1920 ist dort das
Zoologische Museum,
heute Museum der
Naturwissenschaften,
untergebracht, wo
Ausstellungen in einer
das 19. Jh. wachrufenden
Atmosphäre zu sehen
sind.

Castell del Tres Dragons →**1.2** C2

→ **1.2** A2
MARKTHALLE
DE SANTA CATERINA
Av. de Francesc Cambó, 16
www.mercatsantacaterina.
net
Das wellenförmige Dach
der Markthalle Santa
Caterina über einer aus-
drucksvollen Struktur
reproduziert die Farben
von Obst und Gemüse
und belebt mit seinem
jugendlichen Schwung
das historische Viertel.
Ein Entwurf von Miralles
und Tagliabue.

Markthalle Santa Caterina →**1.2** A2

La Rambla

Keine andere Straße in Barcelona ist mit der Rambla zu ver-
gleichen: lebendig, bunt und Menschen aus aller Welt und
allen sozialen Schichten flanieren hier. Sie trennt das Barri
Gòtic vom Raval, verbindet das Mittelmeer mit dem Eixample,
und am Tag wie in der Nacht ist hier geschäftiges Treiben.
Zeitungsstände und Blumenkioske säumen die beiden Seiten
des Boulevards.

◆◆◆ **Barcelona Walks**
Gourmet
2-stündige Führung durch
die gastronomische
Kultur Barcelonas. U.a.
Besuch der Granja Viader,
Markthalle Boqueria,
Konditorei Escribà,
La Pineda, Caelum,
La Colmena, Konditorei
Brunells und Markthalle
Santa Caterina. Preis:
Erwachsene, 19 €;
Kinder, 7 € (inkl. 2
Degustationen). Termine:
Fr + Sa, 10 h (Englisch);
Sa, 10.30 h (Katalanisch
+ Spanisch). Treffpunkt
im Informationsbüro von
Turisme de Barcelona
(Plaça Catalunya, 17-s).

Museen
ARTS SANTA MÒNICA
Rambla Santa Mònica, 7
→**1.3** A4
www.artsantamonica.cat
Jährlich etwa 20 verschiedene Ausstellungen, vor allem
aktuelle Aspekte der nationalen und internationalen
künstlerischen Produktion.
In der Kunsthalle werden
verschiedene Richtungen
des zeitgenössische
Schaffens mit Wissenschaft,
Denkströmungen und
Kommunikation verflochten.
LA VIRREINA
CENTRE DE LA IMATGE
La Rambla, 99 →**1.3** A2
www.bcn.cat/virreinacen
tredelaimatge
Zwei Ausstellungssäle
für die künstlerische
Avantgarde der Fotografie.

MUSEU DE CERA
Passatge de la Banca, 7
→**1.3** A4
www.museocerabcn.com
In einem Gebäude im
Renaissance-Stil sind die
bekanntesten Figuren der
Geschichte zu sehen.

Restaurants
AGUT
Gignàs, 16 →**1.3** B4
T 93 315 17 09
(25-40 €) + MITTAGSMENÜ
Altes Gasthaus von
1924 im Boheme-Stil.
Ausgezeichnete populäre
katalanische Küche.
ATTIC
La Rambla, 120 →**1.3** B2
T 93 302 48 66
(25-35 €) + MENÜ FÜR GRUPPEN
Mediterrane Küche mit
sehr persönlicher Note.
Mit Blick auf die Rambla.
BAR LOBO
Pintor Fortuny, 3 →**1.3** A2
T 93 481 53 46
(20-30 €) + MITTAGSMENÜ
Tapas und Schnellgerichte
mit gewagtem Touch.
CAN CULLERETES
Quintana, 5 →**1.3** A3
T 93 317 30 22
(20-30 €) + MENÜ FÜR GRUPPEN
Das älteste Restaurant
von Barcelona (1786).
Traditionelle katalanische
Küche.
CENT ONZE
La Rambla, 111 →**1.3** B1
T 93 316 46 60
(30-50 €) + MITTAGSMENÜ
Traditionelle französische
und katalanische Küche
in außergewöhnlicher
Umgebung.

EGIPTE
La Rambla, 79 →**1.3** A2
T 93 317 95 45
(15-20 €) + MITTAGSMENÜ
Traditionelle katalanische
Küche, gute Kost zu guten
Preisen.
LOS CARACOLES
Escudellers, 14 →**1.3** A3
T 93 302 31 85
(30-45 €) + MENÚ DE TAPAS
Historisches Lokal von
1835, einfache katalani-
sche Küche, ein Klassiker.
PINOTXO
Mercat de la Boqueria
→**1.3** A2
T 93 317 17 31
(20-30 €)
Berühmte kleine Bar in der
Markthalle La Boqueria.
TAXIDERMISTA
Pl. Reial, 8 →**1.3** A3
T 93 412 45 36
(30-45 €) + MITTAGSMENÜ
Saisonale mediterrane
Küche in einem Gebäude
aus dem 19. Jh. mit mini-
malistischem Dekor.

Cafés + Bars
BOADAS
Tallers, 1 →**1.3** B1
Die Cocktailbar von Barcelona
(1933). Klassisches Dekor und
ausgezeichnete Cocktails.
CAFÈ DE L'ÒPERA
La Rambla, 74 →**1.3** A3
Die Innendekoration von
der Mitte des 19. Jh. in die-
sem mythischen Café der
Stadt ist unverändert.
ESCRIBÀ
La Rambla, 83 →**1.3** A3
Feinbäckerei seit über
hundert Jahren und Café,
die Kreationen sollte man

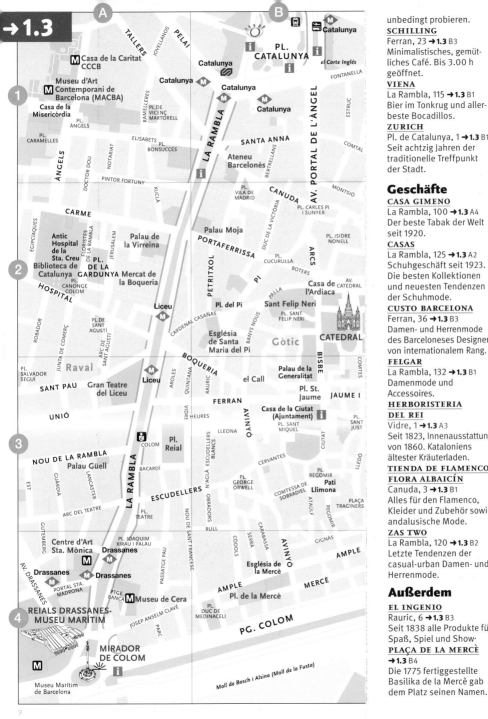

unbedingt probieren.

SCHILLING
Ferran, 23 →**1.3** B3
Minimalistisches, gemüt-
liches Café. Bis 3.00 h
geöffnet.

VIENA
La Rambla, 115 →**1.3** B1
Bier im Tonkrug und aller-
beste Bocadillos.

ZURICH
Pl. de Catalunya, 1 →**1.3** B1
Seit achtzig Jahren der
traditionelle Treffpunkt
der Stadt.

Geschäfte

CASA GIMENO
La Rambla, 100 →**1.3** A4
Der beste Tabak der Welt
seit 1920.

CASAS
La Rambla, 125 →**1.3** A2
Schuhgeschäft seit 1923.
Die besten Kollektionen
und neuesten Tendenzen
der Schuhmode.

CUSTO BARCELONA
Ferran, 36 →**1.3** B3
Damen- und Herrenmode
des Barceloneses Designers
von internationalem Rang.

FELGAR
La Rambla, 132 →**1.3** B1
Damenmode und
Accessoires.

**HERBORISTERIA
DEL REI**
Vidre, 1 →**1.3** A3
Seit 1823, Innenausstattung
von 1860. Kataloniens
ältester Kräuterladen.

**TIENDA DE FLAMENCO
FLORA ALBAICÍN**
Canuda, 3 →**1.3** B1
Alles für den Flamenco,
Kleider und Zubehör sowie
andalusische Mode.

ZAS TWO
La Rambla, 120 →**1.3** B2
Letzte Tendenzen der
casual-urban Damen- und
Herrenmode.

Außerdem

EL INGENIO
Rauric, 6 →**1.3** B3
Seit 1838 alle Produkte für
Spaß, Spiel und Show·

PLAÇA DE LA MERCÈ
→**1.3** B4
Die 1775 fertiggestellte
Basilika de la Mercè gab
dem Platz seinen Namen.

Informationsstand →**1.1**A3

Font de Canaletes →**1.3** B1

Pla de l'Os →**1.3**A2

Basilika de la Mercè →**1.3** B4

Sehenswertes

→ 1.3 A3
GRAN TEATRE DEL LICEU
La Rambla, 51-59
T 93 485 99 00
www.liceubarcelona.com
Das Opernhaus hat die verschiedensten Wechselfälle erlebt: denkwürdige Aufführungen (u.a. mit Montserrat Caballé, Josep Carreras und Jaume Aragall), Streit zwischen Verdi- und Wagner-Anhängern und zwei Brände. Nach dem Brand von 1994 Erweiterung und Renovierung.

Gran Teatre del Liceu → **1.3** A3

→ 1.3 A2
MARKTHALLE SANT JOSEP «LA BOQUERIA»
Pl. de la Boqueria, s/n
T 93 318 25 84
www.boqueria.info
Die Boqueria mit ihrer gusseisernen Struktur ist die farbenprächtigste Markthalle von Barcelona. Quirliges, lebhaftes Ambiente und ausgezeichnetes Angebot an frischen Produkten – Fleisch, Fisch, Gemüse, Obst.

La Boqueria → **1.3** A2

→ 1.3 A3
PLAÇA REIAL
Der große rechteckige Platz mit hohen Palmen und Laternen von Gaudí ist von Arkaden umgeben. Bars und Terrassenrestaurants und in den Musikkneipen Flamenco oder Jazz.

Plaça Reial → **1.3** A3

→ 1.3 A3
PALAU GÜELL
Nou de la Rambla, 3-5
T 93 317 39 74
www.palauguell.cat
Beeindruckend an diesem Werk von Gaudí sind die prächtige Fassade wie auch die Eingangshalle mit Kuppel, durch die natürliches Licht einfällt. Auf der Dachterrasse bilden zwanzig Schornsteine mit buntverzierten Spitzen eine Skulpturenlandschaft.

Palau Güell → **1.3** A3

El Raval

Im Raval entsteht das Barcelona der Zukunft. Durch das Barrio Chino war es bis vor kurzem ein konfliktreiches Viertel, heute ist es das Tor zur Stadt und in ständiger Veränderung begriffen. Es ist ein multikulturelles Viertel mit Künstlerszene, vielen Geschäften wie auch einem guten Freizeitangebot. Zentrum des Viertels ist heute die herrliche Rambla del Raval.

Kunstgalerien

Nach der Eröffnung vom MACBA und CCCB wurde das kulturelle Angebot, das es bis vor zehn Jahren so nicht gab, durch zahlreiche Galerien, Ausstellungssäle und Designshops ergänzt. Künstlerische Innovation steht im Vordergrund, und Avantgarde-Künstler aus der ganzen Welt sind hier vertreten. Im Folgenden einige dieser Galerien. Es lohnt sich, dieses dynamische Viertel bei einem Bummel zu entdecken.
Foment de les Arts Decoratives, FAD, (Pl. dels Àngels, 5-6, www.fadweb.org); Cotthem Gallery (Dr. Dou, 15, www.cotthem.com); Galeria Ferran Cano (Pl. Duc de Medinaceli, 6, www.artnet.com); Àngels Barcelona (Pintor Fortuny, 27, www.angelsbarcelona.com); Tinta Invisible (Lleó, 6); Cafè Nou 3 (Dr. Dou, 12); Antidoto28 (Ferlandina, 28, www.vorticedesign.net); Taller Obert (Ferlandina, 49); Espai Vidre (Pl. dels Àngels, 8); Holala! Gallery (Valldonzella, 4).

Restaurants

Mehr als 60 € → S. 58
CA L'ISIDRE
CASA LEOPOLDO

BIBLIOTECA
Junta de Comerç, 28
→ 1.4 B3
T 93 412 62 21
(25-35 €) +MENÜ FÜR GRUPPEN
Gemütlich, mit Blick in die Küche. Ständig neue Kreationen.

CA L'ESTEVET
Valldonzella, 46 **→ 1.4** B1
T 93 302 41 86
(20-30 €) + MITTAGSMENÜ
Seit mehr als 100 Jahren. Traditionelle Küche.

CAN LLUÍS
Cera, 49 **→ 1.4** A2
T 93 441 11 87
(20-30 €) + MITTAGSMENÜ
Ein Klassiker im Raval. Familiäres, volkstümliches Ambiente. Katalanische Hausmannskost.

DOS PALILLOS
Elisabets, 9 **→ 1.4** C1
T 93 304 05 13
(30-40 €) + DEGUSTATIONSMENÜ
Beste asiatische Tapas, hervorragendes Angebot an Sake, Wein, Bier und Tee.

FONDA ESPAÑA
Sant Pau, 9-11 **→ 1.4** C3
T 93 318 17 58
(25-35 €) + MITTAGSMENÜ
Katalanische Küche in einem modernistischen Speisesaal von Domènech i Montaner.

ORGÀNIC
Junta de Comerç, 11
→ 1.4 B2. T 93 301 09 02
(15-20 €) + MITTAGSMENÜ
Großes, ruhiges Lokal. Vegetarische Küche mit Bioprodukten.

Cafés + Bars

Unbedingt die Klassiker der Stadt aufsuchen wie **Marsella**, von 1820, (Sant Pau, 65); **Almirall**, von 1860, (Joaquín Costa, 33) oder **London Bar**, von 1910, (Nou de la Rambla, 34), wo Picasso, Dalí oder Hemingway verkehrten.

BAR KASPARO
Pl. de Vicenç Martorell, 4
→ 1.4 C1
Ein Klassiker der Terrassencafés. Frühstück, Nachmittagsimbiss, Tapas, kleine Gerichte.

GRANJA VIADER
Xuclà, 6 **→ 1.4** C2
1904 als Milchladen gegründet. Köstliche Trinkschokolade, Quark mit Honig étc.

ORXATERIA SIRVENT
Parlament, 56 **→ 1.4** A2
Im Sommer zieht es die Barceloneser hierher, um die köstliche Horchata zu probieren.

RAVAL BAR
Doctor Dou, 19 **→ 1.4** B1
Cocktailbar.

Geschäfte

ALLSTARS SHOP
Tallers, 6 und 8 **→ 1.4** C1
Beste Streetwear und Hiphop-Kleidung von Barcelona.

BARCELONA REYKJAVIK
Doctor Dou, 12 **→ 1.4** B1
Selbstgemachtes Brot nach alten Rezepten mit biologischen Produkten.

CASA PARRAMON
Carme, 8 **→ 1.4** C2

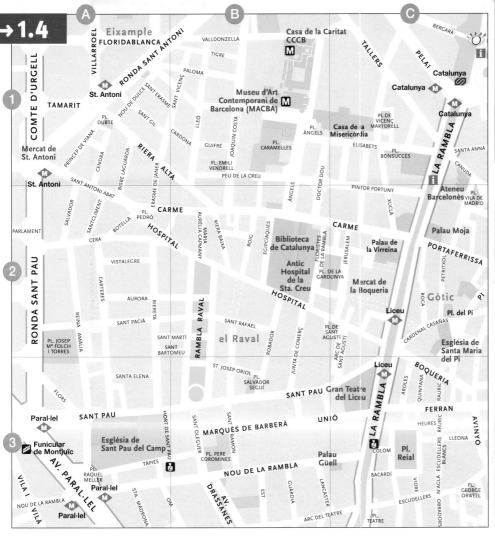

A   B   C

Eixample
FLORIDABLANCA
VILLARROEL
RONDA SANT ANTONI
VALLDONZELLA
TIGRE
PALOMA
SANT VICENÇ
NOU DE DULCE
SANT ERASME
COMTE D'URGELL
TAMARIT
St. Antoni
PL. DUBTE
PRINCEP DE VIANA
SANT GIL
CARDONA
OLEO
JOAQUIM COSTA
GUIFRÉ
PL. ÀNGELS
PL. CARAMELLES
PL. EMILI VENDRELL
PEU DE LA CREU
CENDRA
BISBE LAGUARDA
RIERA ALTA
ERASME DE JANER
PL. PEDRÓ
CARME
HOSPITAL
MARIA AURELIA CAPMANY
RIERA BAIXA
ROIG
EGICIAQUES
FLORISTES DE LA RAMBLA
JERUSALEM
Biblioteca de Catalunya
Antic Hospital de la Sta. Creu
PL. DE LA GARDUNYA
ÀNGELS
DOCTOR DOU
XUCLÀ
PINTOR FORTUNY

Casa de la Caritat
CCCB
Museu d'Art Contemporani de Barcelona (MACBA)
Casa de la Misericòrdia
ELISABETS
PL. BONSUCCÉS
LA RAMBLA
SANTA ANNA
CANUDA

TALLERS
BERGARA
PELAI
Catalunya
Catalunya
Catalunya
PL. DE VICENÇ MARTORELL
Ateneu Barcelonès
PL. VILA DE MADRID
Palau Moja
PORTAFERRISSA
PETRITXOL
Palau de la Virreina
Mercat de la Boqueria
ROCA
Gòtic
Liceu
Pl. del Pi
Església de Santa Maria del Pi
BOQUERIA
AROLES
QUINTANA
RAURIC
FERRAN
HEURES
AVINYÓ
LLEONA

Mercat de St. Antoni
St. Antoni
SANT ANTONI ABAT
SALVADOR
SANT CLIMENT
CERA
BOTELLA
CARME
HOSPITAL
PARLAMENT
RONDA SANT PAU
VISTALEGRE
CARTERES
AURORA
RIERETA
REINA AMALIA
SANT PACIÀ
RAMBLA DEL RAVAL
el Raval
SANT MARTÍ
SANT BARTOMEU
SANTA ELENA
FLORS
ST. JOSEP ORIOL
PL. SALVADOR SEGUÍ
JUNTA DE COMERÇ
SANT RAFAEL
ROBADOR
PL. DE SANT AGUSTÍ
ARC DE SANT AGUSTÍ
SANT PAU
CARDENAL CASAÑAS
Liceu
Gran Teatre del Liceu
UNIÓ
LA RAMBLA

Paral·lel
Funicular de Montjuïc
AV. PARAL·LEL
Església de Sant Pau del Camp
HORT DE SANT PAU
SANT OLEGUER
SANT RAMON
MARQUÈS DE BARBERÀ
PL. PERE COROMINES
NOU DE LA RAMBLA
TÀPIES
PL. RAQUEL MELLER
Paral·lel
VILA I VILA
NOU DE LA RAMBLA
STA. MADRONA
OM
AV. DRASSANES
EST
GUARDIA
LANCASTER
ARC DEL TEATRE
Palau Güell
COLOM
BACARDÍ
Pl. Reial
VIDRE
ESCUDELLERS BLANCS
N'AGLA
ESCUDELLERS
CODOLS
VIDRE
PL. GEORGE ORWELL
PL. TEATRE

Seit 1897 Saiteninstrumente, Zubehör, Reparaturen.
MONS
Sant Pau, 6 →1.4 C3
Juwelier, handgemachte Stücke aus edlem Material.
FUTBOLMANIA
Ronda de Sant Pau, 25 →1.4 A2
Fanartikel aller spanischen, europäischen Teams und Nationalmannschaften.
LA CENTRAL DEL RAVAL
Elisabets, 6 →1.4 C1

Eine Buchhandlung in einer ehemaligen Kirche. Angenehme Cafetería.
SASTRERIA EL TRANSWAAL
Hospital, 67 →1.4 B2
Seit 1888 handgefertigte Kleidung und Arbeitsuniformen.
THE AIR SHOP
Àngels, 20 →1.4 B1
Aufblasbare Kunst- und Dekorationsartikel aller Formen und Größen.

Außerdem
MERCAT DE COL·LECCIONISTES DE SANT ANTONI
Comte d'Urgell, 1 →1.4 A1
Jeden Sonntag alte Bücher, Comics, Schallplatten rund um die modernistische Markthalle Sant Antoni.
ANTIC HOSPITAL DE LA SANTA CREU
Hospital, 56 →1.4 B2
Ab 1401 erbaut, ein Meisterwerk gotischer und barocker Profanbauten.

Ursprünglich ein Armenhospiz, heute beherbergen die verschiedenen Gebäude die Biblioteca Nacional de Catalunya, die Kunstschule Escola Massana und das Institut d'Estudis Catalans.
TEATRE LLANTIOL
Riereta, 7 →1.4 A2
T 93 310 50 94
www.llantiol.com
Theater-Café mit viel Charme.

Kunstgalerie →1.4 B1

Rambla del Raval →1.4 B2·3

Antic Hospital de la Santa Creu →1.4 B2

London Bar →1.4 B3

Sehenswertes

→ 1.4 B1
MACBA
Plaça del Àngels, 1
T 93 412 08 10
www.macba.es
Das Museu d'Art
Contemporani de Barcelona
genießt internationalen
Ruf. Es befindet sich in
einem lichtdurchfluteten
Gebäude, einem Entwurf
von Richard Meier. In
unmittelbarer Umgebung
viele Einrichtungen für
Kunst und Freizeit sowie
Universitätsgebäude.

MACBA →1.4 B1

→ 1.4 B1
CCCB
Montalegre, 5
T 93 306 41 00
www.cccb.org
Das Centre de Cultura
Contemporània de
Barcelona ist eine innovative, vielseitige und auf das
städtische Leben orien-
tierte Einrichtung. Auf dem
Programm stehen zeitgenössisches Denken ebenso wie
innovative Veranstaltungen
der Jugendkultur, z.B. das
Sónar-Festival.

CCCB →1.4 B1

→ 1.4 B2
BIBLIOTECA
DE CATALUNYA
Hospital, 56
T 93 270 23 00
www.bnc.cat
Die Bibliothek von
Katalonien wurde zu Beginn
des 20. Jh. gegründet,
bezog 1940 das eindrucks-
volle gotische Gebäude des
ehemaligen Hospitals de
la Santa Creu, wurde 1998
erweitert und beherbergt
drei Millionen Dokumente.

Biblioteca de Catalunya →1.4 B2

→ 1.4 A3
SANT PAU DEL CAMP
Sant Pau, 101-103
Die ältesten Dokumente
über dieses romanische
Kloster stammen aus dem
10. Jh. Die heute existieren-
de Kirche, der Kreuzgang,
der Kapitelsaal und die
Abtei wurden zwischen
dem 12. und 14. Jh. erbaut
und im 20. Jh. sorgfältig
restauriert.

Sant Pau del Camp →1.4 A3

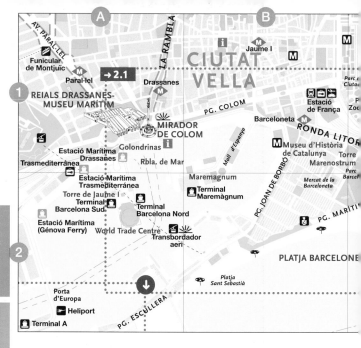

Eine zum Meer hin offene Stadt

Küstenstreifen

Barcelona hat sich zum Meer hin geöffnet. Mit der vor den
Olympischen Spielen von 1992 begonnenen Umgestaltung
wurde der in drei Abschnitte unterteilte Küstenstreifen zurückgewonnen. Der erste und südlichste ist das Hafengebiet, mit
dem ausgedehnten Handelshafen sowie der Zone mit den
Terminals für Kreuzfahrtschiffe und Fähren zu den Balearen
und anderen Mittelmeerhäfen. Hierzu gehört das Strandgebiet

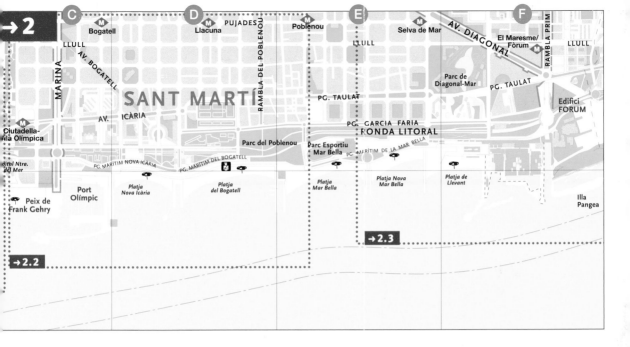

der Barceloneta, mit Einrichtungen für das Strandleben und einem umfangreichen gastronomischen Angebot. Der zweite ist die Vila Olímpica mit dem großen Sporthafen und dem langen Strand bis zum Fòrum, dem dritten und letzten Abschnitt des Küstenstreifens.

Moll de la Fusta →1.1 B2

Absolutes Muss

→2 A1 MONUMENT A COLOM

Plaça del Portal de la Pau | T 93 302 52 24 | www.barcelonaturisme.cat
Die Statue des Christoph Kolumbus auf der 50 Meter hohen Säule überragt den Hafen von Barcelona. Gleichzeitig wird die Verbundenheit der Stadt mit dem Meer wie auch die Dankbarkeit gegenüber dem Meer ausgedrückt, über das viele der Gründer der Stadt kamen und viele zur Entdeckung der Welt aufbrachen. Von der Aussichtsplattform oben in der Säule kann man die gesamte Umgebung überblicken.

→2 A1 REIALS DRASSANES - MUSEU MARÍTIM

Avinguda de les Drassanes, s/n | T 93 342 99 20 | www.mmb.cat
Die mittelalterlichen Werften von Barcelona (die Reials Drassanes) stammen aus dem 15. Jh. Ein Besuch lohnt sich aus zweierlei Gründen: Erstens das Gebäude selbst, einer der besterhaltenen und schönsten gotischen Profanbauten mit Hallen aus Backstein. Zweitens das hier untergebrachte Schifffahrtsmuseum mit seiner hervorragenden Sammlung von Exponaten rund um die Seefahrt, darunter einige Schiffe wie die Prachtgaleere des Juan de Austria.

→2 B2 STRAND DER BARCELONETA

www.bcn.cat/platges
Die Barceloneta ist das ehemalige Viertel der Fischer von Barcelona, ein populärer Stadtteil mit einem Gewirr von Gassen rund um die kühn umgestaltete Markthalle und den riesigen zentralen Platz. Die wirkliche Attraktion der Barceloneta ist aber der breite Sandstrand, der sich von der Mole bis zur Vila Olímpica erstreckt. Im Sommer drängeln sich hier die Badegäste, nicht wenige kommen das ganze Jahr über.

Monument a Colom → **2.1** A1

Port Vell + Barceloneta

Im Port Vell befinden sich die Anlegestelle für Vergnügungsboote, ein Geschäfts-, Büro- und Freizeitzentrum, Serviceeinrichtungen für Sportboote wie Docks für die Fischerboote. Die Atmosphäre typischer mediterraner Fischerorte zeigt sich in der Barceloneta mit den rechteckigen Wohnblocks, die hier in der Mitte des 18. Jh. zwischen Hafen und Strand erbaut wurden.

Reials Drassanes - Museu Marítim → **2.1** A1

Maremagnum
→ **2.1** B2
www.maremagnum.es
Einkaufszentrum mit Restaurants und Freizeiteinrichtungen direkt am Meer, täglich geöffnet, inkl. Sonn- und Feiertags, außer am 25. Dezember und 1. Januar. Modeboutiquen und Schuhgeschäfte; Accessoires und Schmuck, Kaffee, Süßigkeiten, Schokolade, Spielzeug; Wohndesign, Souvenirs, Parfümerie, Friseur, Mobilfunk + Elektronik; Freizeiteinrichtungen sowie Gastronomie
Öffnungszeiten:
Geschäfte, 10 – 22 h; Restaurants bis 1.00 h; Bar und Freizeit 23 – 4.30 h; Terrassen 13 – 4.30 h.
ELX RESTAURANT
Moll d'Espanya, s/n, local 9
T 93 225 81 17
PÒSIT MARÍTIM
Moll d'Espanya, s/n
T 93 221 62 56
TAPAS BAR
Moll d'Espanya, s/n, local 10
T 93 225 81 80

◆◆◆

Barcelona Bici
Führungen von 2 – 3 Std. Dauer.
www.barcelonaturisme.cat

◆◆◆

Barcelona Walks Marina
Führungen (von April bis Oktober) entlang des Küstenstreifens. Fahrt in einem typischen Ausflugsboot. Fr + Sa, 10 h (Englisch), Sa, 10 h (Katalanisch + Spanisch); Erwachsene 16 €, Kinder 6.50 €. Treffpunkt Kolumbussäule.

Restaurants
In dieser Zone überwiegen die typischen Fischrestaurants mit einer Vielfalt an Reis- und Fischgerichten sowie Meeresfrüchten.

Mehr als 60 € → S. 58
LLUÇANÈS *
TORRE DE ALTA MAR

* Michelin-Sterne

DE MERCAT
Pl. de la Font, s/n → **2.1** C2
T 93 221 54 58
(20-30 €) + MITTAGSMENÜ
Mediterrane Küche in der Markthalle der Barceloneta.
SAL CAFÉ
Passeig Marítim de la Barceloneta, 23 → **2.1** D2
T 93 224 07 07
(20-30 €) + MITTAGSMENÜ
Modernes Restaurant am Strand. Aktuelle gastronomische Trends.
SET PORTES
Passeig Isabel II, 14 → **2.1** C1

T 93 319 30 33
(30-50 €)
Legendäres Restaurant seit 1836, dank seiner Paellas und anderer typischer Gerichte. Durchgehend 13 - 1.00 h.
Zona Palau de Mar:
→ **2.1** C1
In der 1992 umgebauten ehemaligen Lagerhalle aus dem 19. Jh. gibt es Restaurants, spezialisiert auf Fisch- und Paella. (30-50 €)
CAL PINXO
Plaça Pau Vila, s/n
T 93 221 22 11
LA GAVINA
Plaça Pau Vila, 1
T 93 221 05 95
MAGATZEM DEL PORT
Plaça Pau Vila, s/n
T 93 221 06 31
MERENDERO DE LA MARI
Plaça Pau Vila, 1
T 93 221 31 41
Zona Barceloneta:
→ **2.1** C2-3 B3 → **2.2** A2
(30-60 €)
Die Klassiker unter den Fischrestaurants, einige mit hundertjähriger kulinarischer Tradition. Ein Gaumengenuss!
CA LA NURI PLATJA
Passeig Marítim, 55
T 93 221 37 75
CAN COSTA
Passeig Joan de Borbó, 70
T 93 221 59 03

Strand der Barceloneta → **2.1** C-D3

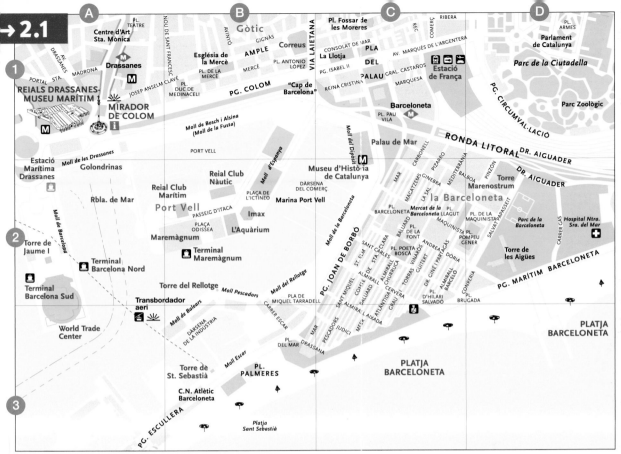

CAN MAJÓ
Almirall Aixada, 23
T 93 221 54 55

CAN RAMONET
Maquinista, 17
T 93 319 30 64

CAN SOLÉ
Sant Carles, 4
T 93 221 50 12

CHERIFF
Ginebra, 15
T 93 319 69 84

EL LOBITO
Ginebra, 9
T 93 319 91 64

L'ARRÒS
Passeig Joan de Borbó, 12
T 93 221 26 46

SUQUET DE L'ALMIRALL
Passeig Joan de Borbó, 65
T 93 221 62 33

Cafés + Bars

EL VASO DE ORO
Balboa, 7 →2.1 C2
Traditionsreiches Bierlokal.
Kleine Theke. Tapas.

JAI-CA
Ginebra, 13 →2.1 C2
T 93 310 50 94
Eine weitere klassische
Kneipe, seit Mitte des letz-
ten Jahrhunderts. Köstliche
typische Tapas.

LA BOMBETA
Plaça de la Maquinista, 3
→2.1 C2
Tapas-Bar seit ewigen
Zeiten. Hervorragende,
pikante Kartoffelbällchen.

**TERRASSA DEL
MUSEU D'HISTÒRIA
DE CATALUNYA**
Plaça de Pau Vila, 3 →2.1 C1

Bar-Cafetería mit herrli-
chem Blick auf den Hafen.

Geschäfte

BODEGA FERMÍN
Sant Carles, 16 →2.1 C2
Fachgeschäft für offe-
ne Weine und Wermut.
Große Auswahl an
Flaschenweinen und Cava.

EL REMITGER
Passeig Joan de Borbó, 63
→2.1 C3
Kleidung für den
Wassersport, Artikel für die
Sport- und Berufsfischerei.

FORN BALUARD
Baluard, 38-40 →2.1 C2
Bäckerei mit selbstgebacke-
nem Brot wie in alten Zeiten.

VINOTECA VORAMAR
La Maquinista, 14 →2.1 C2

Wein- und Cavageschäft.
Die besten Marken.

Außerdem

**WORLD TRADE CENTER
BARCELONA**
Moll de Barcelona →2.1 A2
Business-Center direkt am
Mittelmeer, Mitglied der
WTCA. Tagungszentrum
(Auditorium mit 430
Sitzplätzen), Büros,
Geschäfte und 5-Sterne-
Hotel.

L'AQUÀRIUM
Moll d'Espanya →2.1 B2
www.aquariumbcn.com
Bedeutendstes Aquarium
der Welt, Museum für
Meereskunde wie auch
Freizeiteinrichtung
im Bereich der

Mittelmeerthematik. 35
Aquarien sowie ein riesiges
Ozeanbecken, durch das
ein 80 m langer gläserner
Tunnel führt.

IMAX
Moll d'Espanya →2.1 B2
www.imaxportvell.com
Kinocenter mit drei 70 mm-
Projektionssystemen: Imax,
Omnimax und 3D.

NEGRA Y CRIMINAL
La Sal, 5 →2.1 C2
Auf Kriminal- und
Detektivromane speziali-
sierte Buchhandlung der
Stadt. Ein wahrer Kenner
bedient die Kunden.

Sehenswertes

→ **2.1** A2
RAMBLA DE MAR
Porta de la Pau, s/n
Den Spaziergang über die
Rambla kann man über die
wellenförmige Brücke über
den Hafen hinweg bis zum
Maremagnum mit seinem
Einkaufszentrum, den Bars
und Restaurants sowie
dem Aquàrium und Imax-
Kino fortsetzen.

Rambla de mar → 2.1 A2

→ **2.1** C2
MUSEU D'HISTÒRIA DE CATALUNYA - MHC
Plaça de Pau Vila, 3
T 93 225 47 00
www.mhcat.net
Seit 1996 beherbergt
eine der alten Lagerhallen
des Hafens das Museu
d'Història de Catalunya.
Hier wird katalani-
sche Geschichte, vom
Paläolithikum bis zur
Gegenwart, mit Betonung
der nationalen Identität
erklärt.

MHC → 2.1 C2

→ **2.1** A2
TORRE DE JAUME I
Moll de Barcelona, s/n
Ein Entwurf von Carles
Buïgas. Mit über hundert
Metern Höhe ist der 1931
erbaute Torre Jaume I der
zweithöchste Stützturm
der Welt. Herrlicher Blick
über Meer und Hafen.

→ **2.1** A2
LAS GOLONDRINAS
Portal de la Pau, s/n
T 93 442 31 06
www.lasgolondrinas.com
Die Anlegestelle der
Golondrinas, der seit
1888 existierenden
Vergnügungsboote,
befindet sich bei der
Kolumbussäule. Die Boote
bieten eine Rundfahrt
durch den Hafen oder an
der Küste entlang bis zum
Fòrum.

Torre de Jaume I → 2.1 A2

Las Golondrinas → 2.1 A2

Sant Martí
Vila Olímpica

Der Distrikt Sant Martí, der sich vom Parc de la Ciutadella und der Plaça de les Glòries bis zum Riu Besòs hinzieht, wird einer völligen Umgestaltung unterzogen. Auch der letzte Teil der Avinguda Diagonal zum Meer hin und die Technologiezone 22@ werden weiter ausgebaut. Die Vila Olímpica wurde für die Olympischen Spiele von 1992 direkt am Meer als Unterkunft für die Athleten erbaut und stellt den ersten Teil dieser Umgestaltung dar.

◆◆◆
Barcelona Mar
2-stündige Fahrt in einem
Segelboot entlang der
Küste vor Barcelona, um
den Blick auf die Stadt
vom Meer aus zu genie-
ßen. Inkl. ein Glas Cava
und Eintritt für das **Museu
Marítim** und das historische Schiff **Pailebot
Santa Eulàlia**. Von April
bis Oktober. Zeiten:
mittwochs, 17 h; sonn-
tags, 11,30 h und 14 h.
Erwachsene, 30 €; Kinder,
16 €. Treffpunkt: Centre
Municipal de Vela-CMV.
Moll del Gregal, s/n - Port
Olímpic.

Restaurants

+ **60 €** → S. 58
ELS PESCADORS

AGUA
Passeig Marítim de la
Barceloneta, 30 → **2.2** A2
T 93 225 12 72
(30-40 €)
Mediterrane Küche direkt
am Strand. Gutes Preis-
Leistungsverhältnis.
BESTIAL
Ramon Trias Fargas, 2-4
→ **2.2** A2
T 93 224 04 07
(30-50 €) + MITTAGSMENÜ
Terrasse und Garten in
Strandnähe. Mediterrane

Küche mit italienischem
Einschlag.
ELS «POLLOS» DE LLULL
Ramon Turró, 13 → **2.2** A1
T 93 221 32 06
(10-20 €) + MENÜ FÜR GRUPPEN
Spezialist für Grillhähn-
chen. Preisgünstig.
LA FONDA DEL PORT OLÍMPIC
Moll de Gregal, 7 → **2.2** B3
T 93 221 22 10
(30-50 €) + MITTAGSMENÜ
Umfangreiche Karte mit
mediterranen Gerichten.
OVEN
Ramon Turró, 126 → **2.2** C1
T 93 268 76 90
(30-50 €) + MENÜ MEDIODÍA
Lounge in ehemaliger
Fabrik. Fusion Food auf der
Basis der mediterranen
Küche.
XIRINGUITO ESCRIBÀ
Av. Litoral, 42 → **2.2** B2
T 93 221 07 29
(30-50 €)
Fischgerichte mit Blick
aufs Meer. Unbedingt Platz
für den Nachtisch lassen.

Cafés + Bars
EL TIO CHE
Rambla del Poblenou, 44
→ **2.2** D1
Seit 1912, selbstgemachte
Horchata und Granizados.
REMBRANDT
Marina, 20 → **2.2** A2
Cafetería bis zum Mittag,
später dann Cocktailbar.

Geschäfte
AL PUNT DE TROBADA
Badajoz, 24 → **2.2** C1
T 93 225 05 85
Fahrradverleih, täglich
geöffnet.
ICÀRIA SPORTS
Av. d'Icària, 180 → **2.2** A2
T 93 221 17 78
Fachgeschäft für Inline-
Skates. Auch Verleih.
ÚLTIMA PARADA
Taulat, 93 → **2.2** D1
Geschäft für
Raumausstattung, spezia-
lisiert auf Vintage-Möbel,
insbesondere der 1960er
und 1970er Jahre.

Außerdem
CASINO DE BARCELONA
Marina, 19-21 → **2.2** A2
www.casino-barcelona.com
Ein Kasino direkt am Meer,
mit Restaurant, Bars und
Diskothek.
CEMENTIRI DEL POBLENOU
Taulat, 2 → **2.2** C2
Der 1775 eröffnete
Friedhof war der erste von
Barcelona außerhalb der
Stadtmauern. 1813 durch
die Truppen Napoleons
zerstört. Ab 1849 mit dem
Pantheon-Bereich wieder
in Betrieb genommen.
Bekannte Architekten und
Bildhauer des Modernisme
und des Noucentisme
gestalteten die Pantheone.

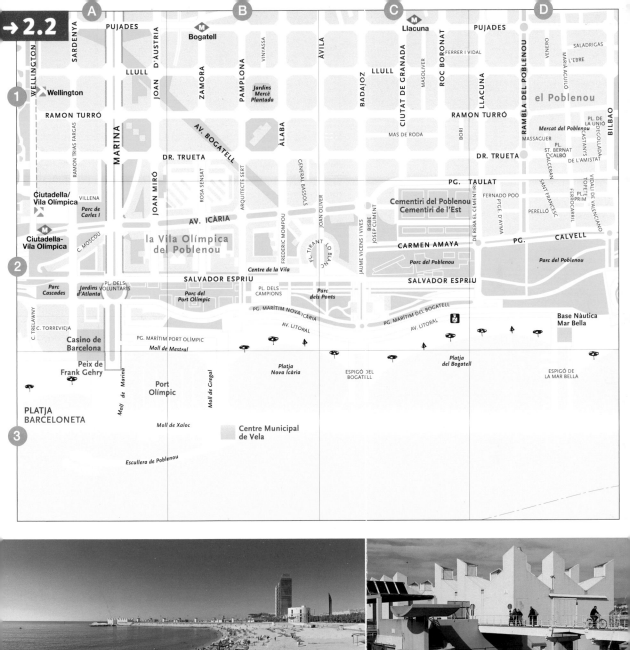

A **B** **C** **D**

PUJADES
SARDENYA
WELLINGTON
● Wellington
RAMON TURRÓ
RAMON TRIAS FARGAS
MARINA

JOAN D'AUSTRIA
LLULL
ZAMORA
AV. BOGATELL
DR. TRUETA
JOAN MIRÓ
C. MOSCOU
VILLENA

Ⓜ Bogatell
PAMPLONA
VINYASSA
Jardins Mercè Plantada
ÁLABA
ARQUITECTE SERT
ROSA SENSAT
AV. ICÀRIA

AVILA
GENERAL BASSOLS
FREDERIC MOMPOU
JOAN OLIVER
PL. TIRANT LO BLANC

Ⓜ Llacuna
ROC BORONAT
FERRER I VIDAL
MASOLIVER
CIUTAT DE GRANADA
BADAJOZ
LLULL
MAS DE RODA
BORI
BISBE JOSEP CLIMENT
JAUME VICENS I VIVES

PUJADES
VENERO
SALADRIGAS
L'EBRE
MARIA AGUILÓ
RAMBLA DEL POBLENOU
BILBAO
el Poblenou
PL. DE LA UNIÓ
Mercat del Poblenou
DECOLLADA
ASTANYS
MASSAGUER
PL. ST. BERNAT CALBÓ
CALCERAN
DE L'AMISTAT
FERNADO POO
SANT FRANCESC
PERELLÓ
PTGE. D'AYMA
DE RERA EL CEMENTIRI
VIDAL DE VALENCIANO
FERROCARRIL
TOPETE
PL. PRIM

Ciutadella/ Vila Olímpica
Parc de Carles I
Ⓜ Ciutadella-Vila Olímpica
la Vila Olímpica del Poblenou
Centre de la Vila
SALVADOR ESPRIU
PL. DELS CAMPIONS

Cementiri del Poblenou
Cementiri de l'Est
PG. TAULAT
CARMEN AMAYA
Parc del Poblenou
SALVADOR ESPRIU
Parc dels Ponts
PG. CALVELL
Parc del Poblenou

Parc Cascades
Jardins d'Atlanta
PL. DELS VOLUNTARIS
Parc del Port Olímpic
C. TRELAWNY
C. TORREVIEJA
Casino de Barcelona
Peix de Frank Gehry
Moll de Mestral
Moll de Marina
Port Olímpic
Moll de Gregal
Moll de Xaloc
Escullera de Poblenou

PG. MARÍTIM PORT OLÍMPIC
PG. MARÍTIM NOVA ICÀRIA
AV. LITORAL
Platja Nova Icària
PG. MARÍTIM DEL BOGATELL
AV. LITORAL
Platja del Bogatell
ESPIGÓ DEL BOGATELL
Base Nàutica Mar Bella
ESPIGÓ DE LA MAR BELLA

PLATJA BARCELONETA
Centre Municipal de Vela

1 **2** **3**

Strand der Nova Icària →2.2B2   **Centre Municipal de Vela →2.2**B2

Sehenswertes

→ 2.2 A-B3
PORT OLÍMPIC
www.pobasa.es
Der Port Olímpic bei der Vila Olímpica umfasst 25 Hektar Fläche, die dem Meer abgewonnen wurden. Erholungsort für die Barceloneser und Einrichtungen für Segler; neben Segelschulen Dutzende Restaurants und Bars.

Port Olímpic →2.2 B3

→ 2.1 D2
TORRE MARENOSTRUM
Passeig Marítim de la Barceloneta, 15
Der Torre Marenostrum, Sitz von Gas Natural, ist ein erstaunliches Gebäude, das die Höhe von Wolkenkratzern mit einem mächtigen horizontalen Überhang kombiniert. Das Werk der Architekten Miralles/ Tagliabue hat eine Glasfassade, in der sich der Himmel und die Stadt spiegeln.

Torre Marenostrum →2.1 D2

→ 2.2 A3
FISCH, FRANK GEHRY
Avinguda Litoral, 12-14
Zu Füßen der Hochhäuser des Port Olímpic direkt am Strand befindet sich seit 1992 die Fisch-Skulptur von Frank Gehry, ein enormes, 35 Meter hohes Netzwerk, in das kupferfarbene Stahlbänder eingeflochten sind, die die Sonne reflektieren.

→ 2.2 B-C2
AVINGUDA ICÀRIA
Die Avinguda Icària mit ihrem städtischen Charakter ist die zentrale Achse der Vila Olímpica. Enric Miralles entwarf die Schatten spendenden, ausdrucksvollen Pergolas mit ausgefallenen Bäumen aus Metall und Holz in abstrakten Formen.

Fisch →2.2 A3

Av. Icària →2.2 B-C2

Küstenstreifen

Sant Martí
Fòrum

Das Welt-Forum der Kulturen von 2004 veränderte mit verschiedenen Bauten das Gesicht der Seeseite von Sant Martí und damit auch das von Barcelona. Im Fòrum wurde ein Kongress-Center (CCIB) mit einer Kapazität bis zu 15.000 Personen nach dem letzten technologischen Standard gebaut. Es wurde auf einer Installation errichtet, die die Wasserversorgung reguliert und so der Nachhaltigkeit förderlich ist.

Recinte Fòrum
Es ist eine der letzten städtebaulichen Operationen des "Modells Barcelona" (d.h. die Nutzung eines internationalen Events zur Verbesserung der Service- und nfrastruktureinrichtungen). Mit 320.000 m² Fläche ist das Gelände einer der größten öffentlichen Räume unseres Planeten für kulturelle und Freizeit-Nutzung. Neben dem **Fòrum-Gebäude**, dem **Centre de Convencions Internacional de Barcelona** und der **Photovoltaik-Anlage** gibt es einen Sporthafen mit 170 Ankerplätzen: im Inneren für Boote mit 10 bis 25 Meter Länge und 31 Ankerplätze im äußeren Teil für Yachten bis 80 Meter Länge. Zudem eine innovative Badezone und einen riesigen Platz mit mehr als 100.000 m², wo zahlreiche Großveranstaltungen stattfinden. So z.B. das **Festival Primavera Sound** oder die **Feria de Abril** in Katalonien, zu der jährlich mehr als eine Million Besucher kommen.

Restaurants
EL COMEDOR
Pg. Garcia Faria, 37-47
→2.3 A2
T 93 531 60 40
(30-50 €) + MENÜ FÜR GRUPPEN
Mediterrane Küche mit gut bürgerlichem Einschlag direkt am Meer.

ESCOLA D'HOSTALERIA
Pg. del Taulat, 243 →2.3 A2
T 93 453 29 04
(20-40 €) + MITTAGSMENÜ
Hier erfährt man, was Barcelonas große Köche der Zukunft heute kochen.

INDIGO
Pg. del Taulat, 262 →2.3 B2
T 93 507 07 07
(30-50 €)
Internationale Küche mit unvergleichlich schönem Blick aufs Meer.

KLEIN
Rambla Prim, 1 →2.3 C2
T 93 356 30 88
(50-70 €) + DEGUSTATIONSMENÜ
Im ersten Stock des Fòrum-Gebäudes, vor allem Gerichte mit Fisch und Meeresfrüchten.

LA CANTINA
Pellaires, 30-38 →2.3 A2
T 93 307 09 74
(20-40 €) + MITTAGSMENÜ
Gelungener Mix von traditioneller und moderner Küche in einem ehemaligen Fabrikkomplex.

LA OCA MAR
Platja de la Nova Mar Bella
→2.3 A2

T 93 225 01 00
(20-40 €) + MITTAGSMENÜ
Erinnert an ein auf dem Meer schwimmendes Schiff.

SAGARDI
EUSKAL TABERNA
Av. Diagonal, 3 →2.3 C1
T 93 356 04 76
(20-40 €)
Baskische Küche mit vielfältigen Spießchen sowie Fleisch und Fisch vom Grill.

Cafés + Bars
In den ganz modernen Hotels direkt am Strand: **Pistaccio Lobby Bar** und **Risa Pool Bar** (Pg. del Taulat, 262); **The Corner Bar** und **The Gym Bar** (Av. Diagonal, 1). Im Einkaufszentrum Diagonal Mar: Tapas und Bier (**Barcelonia, Tapas Bar, Kurz & Gut**); Kaffee und Eis (**Cal Tuset, Jamaica, Kokoa, Häagen Dazs**); Fruchtsäfte (**Passion Fruits**).

Geschäfte

Einkaufszentrum:
DIAGONAL MAR
→ S. 56

Außerdem
PARKPLATZ
FÜR CAMPINGWAGEN
Av. Eduard Maristany, s/n
→2.3 D1
Für 100 Campingwagen. Parkdauer: max. 72 Stunden.

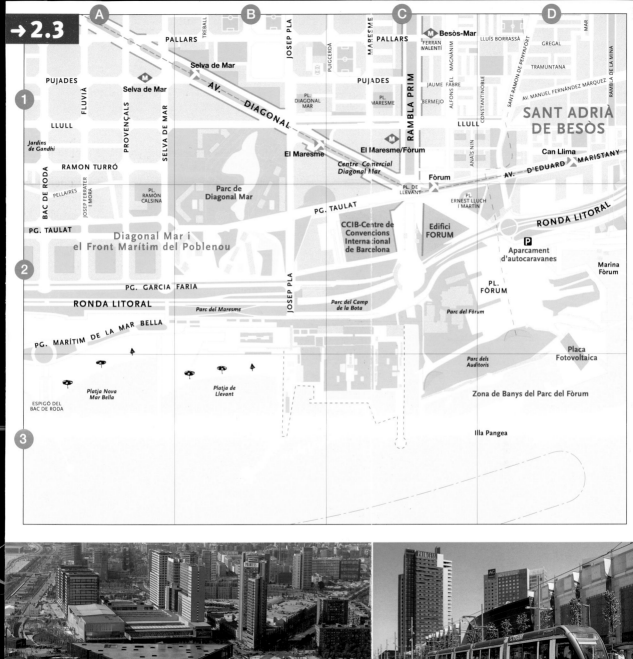

→2.3

A　B　C　D

PALLARS
TREBALL
JOSEP PLA
PUIGCERDA
MARESME
PALLARS
Besòs-Mar
FERRAN VALENTÍ
LLUÍS BORRASSÀ
GREGAL
MAR
SANT RAMON DE PENYAFORT
TRAMUNTANA
RAMBLA DE LA MINA

Selva de Mar
PUJADES
MAGANIM
ALFONS XII
JAUME FABRE
BERMEJO
CONSTANTINOBLE
AV. MANUEL FERNÁNDEZ MÁRQUEZ

Selva de Mar
PL. DIAGONAL MAR
PL. MARESME
PUJADES
RAMBLA PRIM

1

FLUVIÀ
PROVENÇALS
SELVA DE MAR
AV. DIAGONAL
LLULL
SANT ADRIÀ DE BESÒS

LLULL
El Maresme
El Maresme/Fòrum
LLULL
Can Llima
AV. D'EDUARD MARISTANY

Jardins de Gandhi
RAMON TURRÓ
Centre Comercial Diagonal Mar
Fòrum
ANAÏS NIN

BAC DE RODA
PELLAIRES
JOSEP FERRATER I MÓRA
PL. RAMÓN CALSINA
Parc de Diagonal Mar
PG. TAULAT
PL. DE LLEVANT
PL. ERNEST LLUCH I MARTÍN
RONDA LITORAL

PG. TAULAT
CCIB-Centre de Convencions Internacional de Barcelona
Edifici FORUM

Diagonal Mar i el Front Marítim del Poblenou
P
Aparcament d'autocaravanes
Marina Fòrum

2

PG. GARCIA FARIA
JOSEP PLA
PL. FÒRUM

RONDA LITORAL
Parc del Maresme
Parc del Camp de la Bota
Parc del Fòrum

PG. MARÍTIM DE LA MAR BELLA
Placa Fotovoltaica

Platja Nova Mar Bella
Platja de Llevant
Parc dels Auditoris
Zona de Banys del Parc del Fòrum

ESPIGÓ DEL BAC DE RODA

3

Illa Pangea

19 Recinte Fòrum →2.3 C2

TramBesòs

Sehenswertes

→ 2.3 C2
CENTRE DE CONVENCIONS INTERNACIONAL DE BARCELONA
Parc dels Auditoris
Das CCIB, das große Kongress-Center von Barcelona, ist ein Werk von Josep Lluís Mateo. Auf fünf Stockwerken befinden sich 45 helle Säle, u.a. mit einer Kapazität für 15.000 Kongressteilnehmer.

→ 2.3 B1-2
PARC DIAGONAL MAR
14 Hektar Fläche, auf der sich sanft gewellte Grünanlagen und Seen abwechseln; wo das Land aufs Meer trifft. Der Park wird auch durch die metallenen Pergolas, die tausend Bäume und die Hochhäuser mit spektakulärem Ausblick charakterisiert.

→ 2.3 C2
EDIFICI FÒRUM
Plaça Ernest Lluch i Martín, 1
T 93 356 10 50
Herzog & De Meuron sind die Architekten des auffälligsten Bauwerks des Fòrum: ein dreieckiges Gebäude mit blauer, ungleichmäßiger Fassade, das zu schweben scheint. Darin befindet sich ein großzügig gebautes, helles Auditorium mit einer Kapazität für mehr als 3.000 Personen.

→ 2.3 D2-3
PLACA FOTOVOLTAICA
Plaça Fòrum
Die Solaranlage mit 10.500 Quadratmeter Fläche, ein Werk von Torres und Lapeña, ist ein enormer technologischer Schattenspender, das an ein Netzwerk erinnert. Ein einzigartiger Ort für einen Spaziergang und die Betrachtung des Meers.

CCIB →2.3 C2

Parc Diagonal Mar →2.3 B1-2

Edifici Fòrum →2.3 C2

Solaranlage →2.3 D2-3

Das Herz von Barcelona

L'Eixample + Gràcia

Eixample + Gràcia bilden das Zentrum von Barcelona. Das Eixample mit seinen rationalen, von Ildefons Cerdà entworfenen Straßenzügen, den modernistischen Meisterwerken, dem Baumbestand und der großzügigen Bauweise ist der Inbegriff von Barcelona: eine Stadt der Unternehmer, der Kultur und des Handels, seit dem 19. Jh. zukunftsgewandt und heute ein globaler Bezugspunkt. Gràcia mit seinen charakteristischen Straßen und seinem zeitlosen Reiz ist das Musterbeispiel der ehemaligen ländlichen Orte, die in das wachsende Barcelona eingemeindet wurden, ohne ihren Charakter dabei zu verlieren. Fast alles, was der Besucher von Barcelona erwarten kann, befindet sich in dieser zentralen Zone mit menschlichen Dimensionen, die sich bestens für einen Spaziergang, einen geruhsamen Rundgang eignet und mit ständigen Überraschungen aufwartet.

Absolutes Muss

→ 3 C3 TEMPLE DE LA SAGRADA FAMÍLIA 🏛
Mallorca, 401 | T 93 207 30 31 | www.sagradafamilia.cat
Gaudí widmete die letzten 40 Jahres seines Lebens diesem grandiosen Werk. Die Kirche ist durch die acht spindelförmigen, jeweils etwa 100 Meter hohen Türme charakterisiert, deren Spitzen buntschillerndes Mosaik verziert. Durch das künftige Kuppelgewölbe, das eine Höhe von 170 Metern erreichen wird, werden sie jedoch klein erscheinen. Die Kathedrale, mit deren Bau 1882 begonnen wurde und die vielleicht 2025 fertiggestellt sein wird, ist eines der meist besuchten Bauwerke von Barcelona.

→ 3 B3 LA PEDRERA (CASA MILÀ) 🏛
Provença, 261-265 | T 902 400 973 | www.fundaciocaixacatalunya.org
Die Casa Milà – im Volksmund La Pedrera – ist gekennzeichnet durch die wellenförmige Fassade, die an ein steinernes Meer erinnert. Ursprünglich als Wohnhaus gedacht, beherbergt ein Teil heute ein Kulturzentrum. Im Espai Gaudí im Dachgeschoss gibt eine Ausstellung Auskunft über die Studien und Geheimnisse des Architekten. In den restaurierten Wohnungen können die ursprünglichen Stuck-, Holz- und Gusseisenarbeiten bewundert werden. Die wahre Überraschung ist die Dachterrasse: ein Skulpturenwald aus Schornsteinen.

→ 3 C1 PARK GÜELL 🏛
Olot, s/n | T 93 413 24 00
Der als Gartenstadt konzipierte Park wartet mit den besten Beispielen der Gaudíschen Phantasiewelt auf. Eine Freitreppe mit einer Keramikechse führt zur Säulenhalle, über der sich der große Platz befindet, um den herum sich eine mit Keramik-, Porzellan- und Glassplittern verkleidete Bank schlängelt. Der Blick von dort auf die Stadt ist überwältigend. Weitere Sehenswürdigkeiten sind die Säulengänge, Gebäude und Rundwege.

Quadrat d'Or
+ Gaudí-Route [1]

Quadrat d'Or (Goldenes Quadrat) ist die Bezeichnung für jene erstaunliche Ansammlung insbesondere modernistischer Bauwerke aus dem ersten Drittel des 20. Jh. im Zentrum von Barcelona. Gaudí, Domènech i Montaner, Puig i Cadafalch und andere Meister des Modernisme prägten diese Zone mit Bauwerken, die ihren ursprünglichen Glanz bewahren, aber neue Aufgaben bekommen haben.

Temple de la Sagrada Família →3 C3

La Pedrera →3 B3

Park Güell →3 C1

◆◆◆ Barcelona Walks
Modernisme
2-stündige Führung durch das Quadrat d'Or, das Zentrum des modernistischen Barcelona, ein einzigartiges Freilichtmuseum. U.a. sind Werke von Gaudí (Casa Milà + Batlló), Domènech i Montaner (Palau de la Música Catalana, Casa Lleó Morera, Fundació Tàpies) und Puig i Cadafalch (Casa Amatller, Casa Terrades + de les Punxes) zu bewundern. Preis: Erwachsene, 12.50 €; Kinder, 5 €. Termine: Fr + Sa, 16 h (Englisch); Sa, 16 h (Katalanisch + Spanisch). Treffpunkt: Informationsbüro von Turisme de Barcelona (Pl. Catalunya, 17-s).

Gaudí-Route
Im Quadrat d'Or können drei der emblematischsten Werke des genialen Architekten besichtigt werden, die alle drei zum Weltkulturerbe gehören, nämlich die Casa Batlló (Pg. de Gràcia, 43; www.casabatlló.es), Casa Milà "La Pedrera" (Pg. de Gràcia, 92; www.fundaciocaixacatalunya.org) und Sagrada Família (Mallorca, 401;

www.sagradafamilia.org). Es sind geradezu Ikonen der Kunst; auch das Innere kann jeweils besichtigt werden).

Kunstgalerien
In der durch die Straßen Diputació, Aragó, Enric Granados und Passeig de Gràcia begrenzten Zone befinden sich die meisten Kunstgalerien von Barcelona. www.artbarcelona.es

Museen
MUSEU EGIPCI
FUND. ARQUEOLÒGICA CLOS
València, 284 →3.1 B2
www.museuegipci.com
Thema des Museums ist die Kunst Altägyptens.
FUNDACIÓ FRANCISCO GODIA
Diputació, 250 →3.1 A2
www.fundacionfgodia.org
Privatsammlung, spezialisiert auf die Kunst des Mittelalters, Keramik und moderne Malerei.
FUNDACIÓ JOAN BROSSA
Provença, 318 →3.1 B1
www.fundaciojoanbrossa.cat
Objektgedichte, visuelle Gedichte, Installationen, Bücher, Plakate und Filme von Joan Brossa.
MUSEU DEL PERFUM
Pg. de Gràcia, 39 →3.1 B2
www.museudelperfum.com

Eine Reise durch die Geschichte der Parfümerie.

Restaurants

Mehr als 60 € → S. 58
CINC SENTITS *
DROLMA *
FONDA GAIG *
GAIG *
LASARTE **
MANAIRÓ *
MOO *
SAÜC *

* Michelin-Sterne

CASA CALVET
Casp, 48 →3.1 B1
T 93 412 40 12
(+50 €) + MITTAGSMENÜ
Exquisite katalanische Küche in einem Gaudí-Haus.
GRESCA
Provença, 230 →3.1 A1
T 93 451 61 93
(40-50 €) + MITTAGSMENÜ
Katalanische Küche des Chefkochs Rafael Peña.
LOIDI
Mallorca, 248 →3.1 B1
T 93 492 92 92
(40-50 €) + DEGUSTATIONSMENÜ
Traditionelle baskische Küche, die Kochlegende Martín Berasategui.
PETIT COMITÈ
Passatge de la Concepció, 13 →3.1 A1
T 93 550 06 20
(30-50 €) + MITTAGSMENÜ
Rückkehr zur ursprünglichen katalanischen Küche

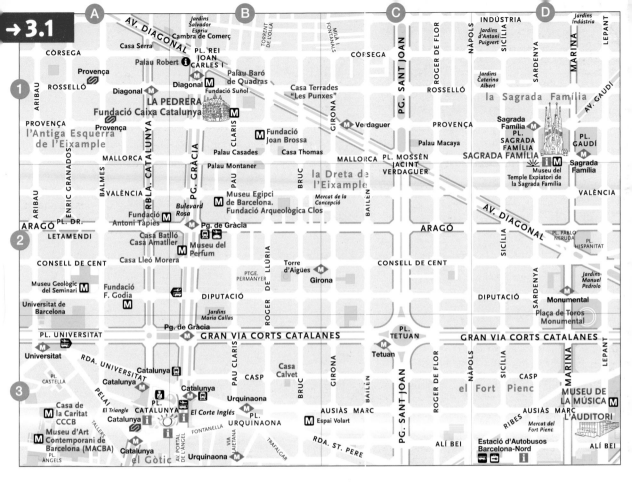

mit Chefkoch Fermí Puig.

TAPAÇ 24
Diputació, 269 →**3.1** B2
T 93 488 09 77
(20–30 €)
Kleine Gerichte und Tapas von Carles Abellan, dem in El Bulli ausgebildeten Koch.

TENORIO
Pg. de Gràcia, 37 →**3.1** B2
T 93 272 05 92
(25–45 €) + MENÜ FÜR GRUPPEN
Fusion Food mit spanischen, mediterranen und japanischen Einflüssen.

Cafés + Bars

BAR VELÓDROMO
Muntaner, 213 →**3.1**A1
Schon immer ein Klassiker

(6–3 h). Heute sind Moritz-Bier und Carles Abellán die Triebfeder.

CASA ALFONSO
Roger de Llúria, 6 →**3.1** B3
Seit 1934, Tapas und phantastische Bocadillos. Ausgezeichnete Wurstwaren.

DRY MARTINI
Aribau, 162 →**3.1** A1
Klassische Cocktailbar mit alten Flaschen in den Vitrinen und Bildersammlung an den Wänden.

MAURI
Rambla de Catalunya, 102 →**3.1** A1
Ausgezeichnete Konditorei

mit beliebtem Teesalon.

Geschäfte

Am Passeig de Gràcia und in der Umgebung befinden sich einige der besten Modegeschäfte der Stadt.

Kaufhäuser, Einkaufszentren:
BULEVARD ROSA
EL CORTE INGLÉS
EL TRIANGLE → S. 56

BAGUÉS-MASRIERA
Pg. de Gràcia, 41 →**1.3** B2
1839 gegründet.
Exklusiver Schmuck in Art Nouveau- und Art Deco-Design.

DESIGUAL
Pg. de Gràcia, 47 →**3.1** B2
Farbenfrohe, phantasievolle Barceloneser *Streetwear*-Mode.

GUANTES VICTORIANO
Aribau, 91 →**3.1**A1
Seit mehr als 80 Jahren maßgeschneiderte Handschuhe von Meistern des Handwerks.

IMAGINARIUM
Pg. de Gràcia, 103 →**3.1** B1
Schönes Spielzeug, entwicklungsgerecht und mit sozialen Werten.

J. MÚRRIA
Roger de Llúria, 85 →**3.1** B2
Modernistisches Lebensmittelgeschäft von 1898.

LA SIBÈRIA
Rambla de Catalunya, 15 →**3.1** A3
Pelzgeschäft seit 1891, mit Art Deco-Inneneinrichtung.

LOEWE
Pg. de Gràcia, 35 →**3.1** B2
Synonym fur Eleganz und Klasse.

SANTA EULALIA
Pg. de Gràcia, 93 →**3.1** B1
Seit 1843 Damen- und Herrenmode ausgesuchter Labels der Luxusmode.

VINÇON
Pg. de Gràcia, 96 →**3.1** B1
Zeitgenössisches Design für Wohnaccessoires und Haushaltsartikel.

Sehenswertes

→ **3.1** B2
CASA BATLLÓ
Passeig de Gràcia, 43
T 93 216 03 06
www.casabatllo.cat
Gaudí vollzog mit der Casa Batlló eine brillante Übung des "re-styling": Er erhöhte das Haus um zwei Stockwerke und modifizierte das Äußere. Fassade mit vielen Anspielungen an die Natur. Das Dach mit einem Kreuz erinnert an die Schuppenhaut eines Drachen.

Casa Batlló →**3.1** B2

→ **3.1** B2
CASA AMATLLER
Passeig de Gràcia, 41
T 93 487 72 17
www.amatller.org
Die Casa Amatller ist ein Werk von Puig i Cadafalch vom Ende des 19. Jh. An der Fassade fallen gotisch-inspirierte Fenster wie auch die reiche Keramikverzierung auf. Der Staffelgiebel erinnert an die norddeutsche Backsteinarchitektur.

Casa Amatller →**3.1** B2

→ **3.1** A2
FUNDACIÓ TÀPIES
Aragó, 255
T 93 487 03 15
www.fundaciotapies.org
Die beste Sammlung des Malers aus Barcelona ist in der Fundació Antoni Tàpies in einem modernistischen Backsteingebäude zu sehen: Gemälde, Skulpturen, Zeichnungen, Graphiken und auf dem Gebäude sein Werk "Wolke und Stuhl".

Fundació Tàpies →**3.1** A2

→ **3.1** B1
PALAU BARÓ DE QUADRAS / CASA ASIA
Avinguda Diagonal, 373
T 93 238 73 37
www.casaasia.cat
Dieses modernistische Bauwerk von Puig i Cadafalch mit den bemerkenswerten Stein-, Keramik- und Holzarbeiten ist heute der Sitz des Kulturzentrums Casa Asia. Das Programm ist ganz dem asiatischen Kontinent und der Pazifik-Zone widmet.

Casa Àsia →**3.1** B1

Gràcia
+ Gaudí-Route [2]

Modernistische Architektur, vor allem Werke von Gaudí, sind auch in Gràcia und an den Ausläufern der Sierra de Collserola zu finden: u.a. die Casa Vicens oder der prächtige Park Güell. Und das in einem Viertel mit einer ganz eigenen Persönlichkeit, das um kleine Plätze herum organisiert ist, die die Vitalität und soziale Struktur dieses Stadtteils widerspiegeln.

Gaudí-Route
Zwei bedeutende Werke Gaudís befinden sich im ehemals unabhängigen Gràcia (bis 1897): Die **Casa Vicens**, Gaudís erstes wichtiges Werk, und der **Park Güell**, für Viele sein Hauptwerk, wo sich zwei interessante Ausstellungstätten befinden: das **Centre d'Interpretació del Park Güell**, in dem die Gegebenheiten der Parklandschaft und die baulichen Lösungsvorschläge durch den Architekten erklärt werden, sowie die **Casa Museu Gaudí**, mit einer wichtigen Sammlung von Objekten, die mit Gaudí verbunden sind oder von ihm entworfen wurden.

Museen
FUNDACIÓ FOTO COLECTÀNIA
Julián Romea, 6 →**3** A2
www.colectania.es
Sammlung mit mehr als 2.000 Fotos spanischer und portugusischer Künstler seit 1950. Temporäre Ausstellungen

Restaurants

Mehr als 60 € → S. 58
ALKÍMIA *
GALAXÓ
ROIG RUBÍ

* Michelin-Sterne

BILBAO
Perill, 33 →**3.2** A3
T 93 458 96 24
(30-50 €) + MITTAGSMENÜ
Traditionelle baskische Küche mit katalanischem Touch. Ein wahrer Klassiker in Barcelona.
BOTAFUMEIRO
Gran de Gràcia, 81 →**3.2** A2
T 93 218 42 30
(+50 €) + MENÜ FÜR GRUPPEN
Gilt als bestes Restaurant für Fisch und Krustentiere in Barcelona. Galicische Küche.
D.O.
Verdi, 36 →**3.2** B2
T 93 218 96 73
(25-35 €) NUR ABENDESSEN
Weine und kreative Tapas bis 1.00 h, modernes Ambiente.
EL GLOP
Sant Lluís, 24 →**3.2** B2
T 93 213 70 58
(20-30 €) + MITTAGSMENÜ
Fur Gruppen geeignet. Katalanische Küche in informellem Ambiente.
EL JARDÍ DE L'ÀPAT
Albert Llanas, 2 →**3.2** C1
T 93 285 77 50
(20-30 €) + MITTAGSMENÜ
Ein Haus mit Garten, Terrasse und wunderschönem Blick. Fleisch und Gemüse vom Grill.
ENVALIRA
Plaça del Sol, 13 →**3.2** A2
T 93 218 58 13
(30-40 €)

Ein Klassiker in Gràcia. Saisonale, Reis- und Fischgerichte.
LA LLAVOR DELS ORÍGENS
Ramón y Cajal, 12 →**3.2** A2
T 93 213 60 31
(20-30 €) + MITTAGSMENÜ
Katalanische Küche von 12.30-1.00 h.

Cafés + Bars
CAFÈ DEL SOL
Plaça del Sol, 16 →**3.2** A2
Seit ewigen Zeiten lädt die Kneipe zum Aperitif unterm Magnalienbaum auf der Terrasse ein.
BODEGA MANOLO
Torrent de les Flors, 101 →**3.2** B2
Eine echte Stadtteil-Bodega mit einzigartigem Ambiente.
NOISE I ART
Topazi, 26 →**3.2** A2
Modern, ruhiges Ambiente. Eine schicke Cocktailbar mit Musik-Lounge.
ROURE
Luís Antúnez, 7 →**3.2** A3
Seit 1889. Von 7.00 – 1.00 H. Frühstück, Aperitif, Tapas, Mittag- und Abendessen, Cocktails.
SALAMBÓ
Torrijos, 51 →**3.2** B2
Zwei Etagen, zwei Ambiente, Billardtische und sanfte Musik. Cocktailbar und Restaurant.

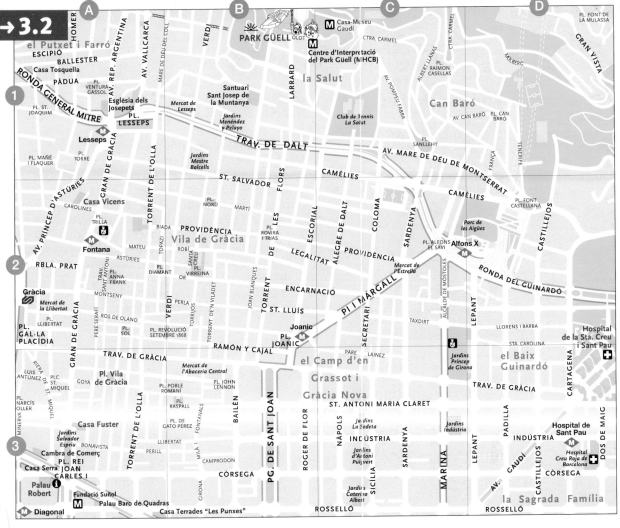

Geschäfte

BOO
La Perla, 20 →**3.2** B2
Mode und Accessoires amerikanischer, englischer und schwedischer Designer.

CAMISERIA PONS
Gran de Gràcia, 49 →**3.2** A3
Hundertjähriges Geschäft mit Mode von heute.

GENT.SUAREZ.SHOP
Verdi, 20 →**3.2** B2
Seit 2009 in Barcelona. Damenmode + -schu-

he, außergewöhnliche Handtaschen.

LA BARBERIA DE GRÀCIA
Biada, 7 →**3.2** A2
Legendärer Herrenfriseur seit 1964.

L'HORA EXACTA
Gran de Gràcia, 42 →**3.2** A3
Traditionsreiches Uhrengeschäft. Kubistisch, modernistisch und am Mittelalter inspirierter Schmuck.

MENCHÉN TOMÀS
Riera de Sant MIquel, 37 →**3.2** A3
Damenmode und *urban design*.

LYDIA DELGADO
Minerva, 21 →**3.2** A3
Eine der bekanntesten Designerinnen Barcelonas für Damenmode.

SULA SHOP
Or, 42 →**3.2** B2
Stoffe, Korbwaren und Wohnartikel; alles handgefertigt.

RAMON MARQUINA
Montseny, 12 →**3.2** A2
Damen- und Herrenmode und Accessoires.

SUITE
Verdi, 6 →**3.2** B2
Trendmode junger Designer aus Barcelona.

Außerdem

CINES VERDI
Verdi, 32 →**3.2** A3
Die besten Kinosäle für alle, die Originalfassungen sehen wollen.

Cines Verdi →**3.2** A3

Der größte Distrikt

→ M3.2 A2
CASA VICENS 🏛
Carolines, 24
(Inneres nicht zugänglich)
Das erste bemerkenswerte
Werk Gaudís in
Barcelona: ein Wohnhaus
im Neomudéjar-Stil,
Fassade aus Stein und
Keramik und schöne
Gusseisenverzierung.

Casa Vicens → 3.2 A2

→ 3.2 A3
CASA FUSTER
Passeig de Gràcia, 132
www.hotelcasafuster.com
Die Casa Fuster, heute ein
Hotel, ist ein Werk von
Domènech i Montaner.
Es befindet sich am
Ende des Passeig de
Gràcia und bietet einen
herrlichen Blick auf diese
Prachtstraße und bis hin
zum Meer.

Casa Fuster → 3.2 A3

→ 3.2 A3
PLAÇA
RIUS I TAULET
Wie eine Insel liegt im
Herzen von Gràcia ein
großer Platz, die Plaça
Rius i Taulet. In der Mitte
erhebt sich ein 33 Meter
hoher Turm mit Uhr und
Glocke in der Turmspitze.

Plaça Rius i Taulet → 3.2 A3

→ 3.2 D3
HOSPITAL DE 🏛
LA SANTA CREU
I SANT PAU
Sant Antoni M. Claret, 167
www.santpau.es
Der große
Krankenhauskomplex
wurde im ersten Drittel des
20. Jh. von Domènech i
Montaner erbaut, er nimmt
eine Fläche vergleichbar
neun Häuserblocks des
Eixample ein und besteht
aus 46 Pavillons. 2010
wird die Mittelmeerunion
hier ihren ständigen Sitz
bekommen.

Hospital de Sant Pau → 3.2 D3

Sants
+ Montjuïc

Mit einem Fünftel der Gesamtfläche der Stadt bildet
Sants-Montjuïc den größten Distrikt von Barcelona.
Unterschiedlichste Stadtteile, wie die ehemals eigenständi-
ge Stadt Sants, Hostafrancs, Poble-sec oder La Bordeta, die
Zone um den Hafen, außerdem Zona Franca, machen diesen
Distrikt aus. Alle liegen um den Montjuïc herum, von dessen
Gipfel aus die Festung die Küste überblickt. In dieser Grünen
Lunge der Stadt, die für die Weltausstellung von 1929 sowie
die Olympischen Spiele von 1992 erschlossen wurde, befin-
den sich der Olympische Ring, große Museen, der Botanische
Garten wie auch weitere Kulturstätten, alles Orte des
Genusses und der Erholung für die Bürger.

Absolutes Muss

→ 4 B3 MUSEU NACIONAL D'ART DE CATALUNYA (MNAC)
Parc de Montjuïc, s/n | T 93 622 03 76 | www.mnac.cat
Der Palau Nacional, charakteristischer Punkt in der Skyline von Barcelona, beherbergt das Museu Nacional d'Art de Catalunya mit der größten Sammlung katalanischer Kunst. Schätze aus tausend Jahren künstlerischer Kreativität sind hier
aufbewahrt. Einzigartig ist die Sammlung romanischer Kunst mit Werken aus den
Pyrenäen. Auch die gotische Sammlung und die Auswahl moderner Werke vom Ende
des 19. bis zur Mitte des 20. Jh. ist bemerkenswert.

→ 4 C3 FUNDACIÓ JOAN MIRÓ
Parc de Montjuïc, s/n | T 93 443 94 70 | www.fundaciomiro-bcn.org
Joan Miró, der universelle Maler aus Barcelona, herausragender Vertreter des
Surrealismus, vermachte der Stadt diese Stiftung. Im Gebäude von Josep Lluís Sert
sind neben einer umfangreichen Sammlung von Werken Mirós auch Ausstellungen
anderer großer Künstler zu sehen. Junge Künstler werden hier gefördert. Von Bäumen
und Skulpturen umgeben, bietet die Stiftung einen phantastischen Blick auf die
Stadt.

→ 4 B3 FONT MÀGICA
Pl. de Carles Buïgas, 1 | T 93 310 50 94
Wasser, Licht und Farbe. Mit diesen drei Elementen gestaltete der Ingenieur Carles
Buïgas diesen Brunnen am Fuße des Montjuïc. Mehrere konzentrische Kreise mit
Fontänen gestalten Figuren mit wechselnden Formen und großer Bildhaftigkeit: ein
Schauspiel im Rhythmus der Musik und poetischer Schöpferkraft, das Barcelona bei
großen städtischen Festen geboten wird.

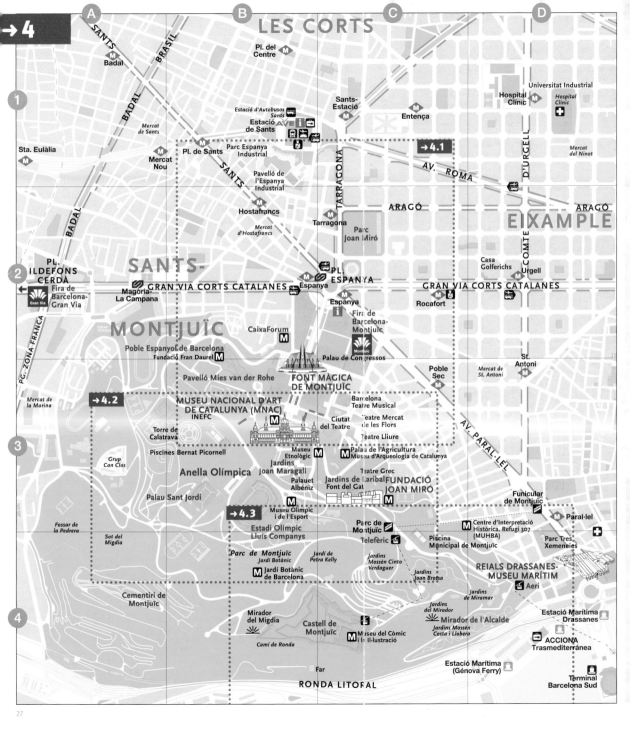

A B C D

LES CORTS

Pl. del Centre

SANTS

BRASIL

BADAL

Badal

Sta. Eulàlia

Mercat Nou

Pl. ILDEFONS CERDÀ

Fira de Barcelona-Gran Via

Gran Via

Mercat de Sants

Estació d'Autobusos Sants
Estació de Sants

Pl. de Sants

Parc Espanya Industrial

Pavelló de l'Espanya Industrial

Hostafrancs

Mercat d'Hostafrancs

Magòria-La Campana

GRAN VIA CORTS CATALANES

SANTS-

Sants-Estació

Entença

AVE

TARRAGONA

Tarragona

Parc Joan Miró

AV. ROMA

→ 4.1

ARAGÓ

PL. ESPANYA

Espanya

Espanya

Fira de Barcelona-Montjuïc

Hospital Clínic

Universitat Industrial

Hospital Clínic

D'URGELL

Mercat del Ninot

ARAGÓ

EIXAMPLE

Casa Golferichs

Urgell

GRAN VIA CORTS CATALANES

COMTE D'URGELL

Rocafort

St. Antoni

Mercat de St. Antoni

PG. ZONA FRANCA

MONTJUÏC

Mercat de la Marina

→ 4.2

CaixaForum

Poble Espanyol de Barcelona
Fundació Fran Daurel

Pavelló Mies van der Rohe

Palau de Congressos

FONT MÀGICA DE MONTJUÏC

MUSEU NACIONAL D'ART DE CATALUNYA (MNAC)
INEFC

Poble Sec

Barcelona Teatre Musical

Ciutat del Teatre

Teatre Mercat de les Flors

Teatre Lliure

AV. PARAL·LEL

Torre de Calatrava

Grup Can Clos

Piscines Bernat Picornell

Anella Olímpica

Palau Sant Jordi

→ 4.3

Museu Etnològic

Jardins Joan Maragall

Palauet Albéniz

Museu Olímpic i de l'Esport

Estadi Olímpic Lluís Companys

Parc de Montjuïc
Jardí Botànic

Jardí Botànic de Barcelona

Palau de l'Agricultura
Museu d'Arqueologia de Catalunya

Teatre Grec

Jardins de Laribal
Font del Gat

FUNDACIÓ JOAN MIRÓ

Parc de Montjuïc

Telefèric

Centre d'Interpretació Històrica. Refugi 307 (MUHBA)

Funicular de Montjuïc

Paral·lel

Parc Tres Xemeneies

Piscina Municipal de Montjuïc

Jardí de Petra Kelly

Jardins Mossèn Cinto Verdaguer

Jardins Joan Brossa

REIALS DRASSANES-
MUSEU MARÍTIM

Aeri

Fossar de la Pedrera

Sot del Migdia

Cementiri de Montjuïc

Mirador del Migdia

Castell de Montjuïc

Camí de Ronda

Museu del Còmic i de la Il·lustració

Jardins de Miramar

Mirador de l'Alcalde

Jardins del Mirador

Jardins Mossèn Costa i Llobera

Estació Marítima Drassanes

ACCIONA Trasmediterránea

Estació Marítima (Génova Ferry)

Terminal Barcelona Sud

Far

RONDA LITORAL

Museu Nacional d'Art de Catalunya MNAC →4B3

Fundació Joan Miró →4C3

Font Màgica →4B3

Plaça Espanya + Messegelände

Die Plaça d'Espanya ist einer der Verkehrsknotenpunkte der Stadt. Die Einfallstraßen von der Küste im Süden her gehen in die großen innerstädtischen Straßen wie die Gran Via, Paral·lel oder Tarragona über. Und sie ist auch das Tor zum Montjuïc und dem traditionellen Messegelände von Barcelona mit den zahlreichen Pavillons am Fuße des Berges.

Poble Espanyol de Barcelona

Zur Weltausstellung von 1929 wurde dieses besondere Areal geschaffen. Das Dorf samt großem Platz sollte als Freilichtmuseum fungieren und durch die Repliken einiger berühmter Gebäude alle architektonischen Stile Spaniens zeigen. Zurzeit ist es eines der bekanntesten Freizeitzentren der Stadt, denn dort befinden sich bedeutende Handwerksstätten jeder Art, Geschäfte, Unternehmen des Showbusiness, Stiftungen, Theater- und Kunstschulen, Restaurants, Bars und Diskotheken. Daneben gibt es viele Aktivitäten für die ganze Familie, vor allem für Kinder. Besonders im Sommer ist es ein privilegierter Ort für Open air-Konzerte und andere Veranstaltungen. Geöffnet Mo, 9–20 h; Di–Do, 9–2 h; Fr + Sa, 9–5 h; So, 9–23 h. www.poble-espanyol.com

Restaurants

Mehr als 60 € → S. 58
EVO *
* Michelin-Sterne

EL BISTROT DE SANTS
Plaça Països Catalans, s/n
→4 C1
T 93 503 53 00
(35-50 €)
Mediterrane Küche in angenehmem Ambiente.

GRANJA ELENA
Pg. Zona Franca, 228 →4.1+
T 93 332 02 41
(35-50 €)
Esskneipe, deren Meisterköche mit ausgezeichneten Zutaten Köstliches kreieren.

LA CLARA
Gran Via, 442 →4.1 C2
T 93 289 34 60
(30-40 €) + MENÜ FÜR GRUPPEN
Auf zwei Etagen. Unten rustikal, Tapas 8–24 h; oben elegant, Restaurant mit katalanischer Küche.

OLEUM
Parc de Montjuïc, s/n
→4.1 B3
T 93 289 06 79
(25-50 €) + MITTAGSMENÜ
Im MNAC. Kreative mediterrane Küche.

RÍAS DE GALÍCIA
Lleida, 7 →4.1 C2
T 93 424 81 52
(+60 €) + MENÜ FÜR GRUPPEN
Beste Meeresfrüchte und Fisch, direkt aus galicischen Gewässern.

VISUAL
Av. de Roma, 2-4 →4 C1
T 93 600 69 96
(50-60 €)
Im 23. Stock des Hotel Torre Catalunya. Kreative und mediterrane Küche.

Cafés + Bars

Ausgezeichnete Cafeterías, was Angebot und Interieur anbelangt, gibt es in den verschiedenen Kultureinrichtungen: MNAC, CaixaForum, Poble Espanyol oder Ciutat del Teatre. Die Imbissbuden an der Esplanade der Font Màgica laden ebenfalls zum Verweilen ein; ausgezeichnete Bocadillos in der **Tango Bar** (Sant Fructuós, 1 →4.1 B2); Bier und Tapas im **Poc a Poc** (Guadiana, 8 →4.1 A1) und gute Musik im **Vision Pub** (Font Honrada, 16 →4.1 C3).

Geschäfte

Die Einkaufsstraße Sants-Creu Coberta (→4.1 A1 B1) gilt als längste Geschäftsstraße Europas; außer 500 Geschäften gibt es zwei Markthallen.

PILMA
València, 1 →4.1 C1
Führendes Geschäft bei Möbeln und Wohnartikeln. Beste Marken und bestes Design.

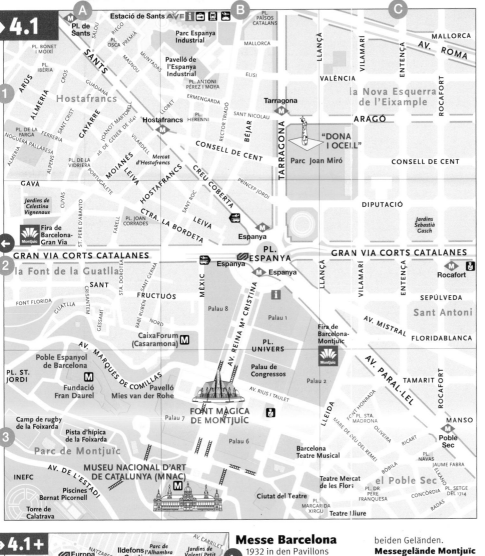

Venezianische Türme → 4.1 B2

Mercat de les Flors → 4.1 B3

Außerdem

CIUTAT DEL TEATRE

Lleida, 59 → 4.1 B3
Der Komplex widmet sich ganz den szenischen Künsten. Er befindet sich in den zur Weltausstellung von 1929 erbauten Gebäuden im Noucentisme-Stil und umfasst **Mercat de les Flors** (Tanz), **Teatre Lliure** (Theater) und **Institut del Teatre** (Schule) mit insgesamt 6 Sälen.

EL PARAL·LEL

Zu Anfang des 20. Jh. war dieser mythische Boulevard die populäre, auch etwas zwielichtige Amüsiermeile, das Montmartre, von Barcelona. Dank der Renovierung historischer Music-Halls wie **El Molino** (1898 gegr., heutiges Aussehen von 1916) oder Theatern wie dem **Victòria**, **Apolo**, **Condal** oder **Nou Tantarantana** kehrt der ehemalige Glamour zurück.

Messe Barcelona

1932 in den Pavillons der Weltausstellung von 1929 eröffnet; mit zwei Messegeländen hat sie die größte Ausstellungsfläche in Spanien (365.000 m² insgesamt) und gehört zu den ersten in Europa. Beide Gelände verfügen über modernste Infrastrukturen und vielfältige Service-Einrichtungen, wie bei Bedarf einen Shuttle-Service zwischen beiden Geländen.

Messegelände Montjuïc
Acht Pavillons zu Füßen des Montjuïc, den Berg am Messegelände von Barcelona.

Messegelände Gran Via
Sechs Pavillons in einer Zone, die weiter erschlossen und durch Architekten wie Toyo Ito, Alejandro Zaera oder Arata Isozaki gestaltet wird. Mehr Information auf. 55
www.firabcn.cat

Sehenswertes

→ 4.1 B1

PARC DE JOAN MIRÓ

Der Park, das erste Werk der Umgestaltung der Stadt in den 80er Jahren, bietet auf einer Fläche von 4 Häuserblocks des Eixample üppigen Baumbestand und gepflasterte Plätze. Er wird überragt von der 22 Meter hohen Skulptur "Frau und Vogel" von Miró.

Parc de Joan Miró →4.1A2

→ 4.1 A3

PAVELLÓ
MIES VAN DER ROHE

Avenida del Marquès de Comillas, s/n
T 93 423 40 16
www.miesbcn.com
Dieses Meisterwerk der Moderne wurde von Mies van der Rohe als deutscher Pavillon für die Weltausstellung von 1929 entworfen. Damals wurde er wieder abgerissen, 1986 getreu wiederaufgebaut und beherbergt heute eine Stiftung.

Pabellón Mies van der Rohe →4.1A2

→ 4.1 B2

CAIXAFORUM

Av. Marquès de Comillas, 6
T 93 476 86 00
www.obrasocial.lacaixa.es
Puig i Cadafalch gelang mit dieser Fabrik ein Meisterwerk der modernistischen Industriearchitektur. Die Stiftung "La Caixa" restaurierte sie originalgetreu. Im Kulturzentrum finden Aktivitäten im Bereich der Kunst, Musik, Literatur und des Films statt.

CaixaForum →4.1A2

→ 4.1 A3

POBLE ESPANYOL

Av. Marquès de Comillas, 13
T 93 508 63 00
www.poble-espanyol.com
Das Poble Espanyol ist eine getreue Replik der spanischen Volksarchitektur. 117 Gebäude spiegeln die Vorbilder aus ganz Spanien wider.

Poble Espanyol →4.1A2

Anella Olímpic

Die wichtigsten Veranstaltungen der Olympischen Spiele von 1992 fanden im Bereich des Olympischen Rings auf dem Montjuïc statt. Das Olympiastadion, der Palau Sant Jordi, das Schwimmbad Picornell, die Sporthochschule und der spektakuläre Kommunikationsturm wurden um eine Esplanade mit klassischen Statuen herum erbaut. Es ist weiterhin der Ort großer Sport-, aber auch Musikevents.

Museen

MUSEU OLÍMPIC
I DE L'ESPORT

Av. de l'Estadi, 60→ 4.2 C2
www.museuolimpicbcn.cat
Einzigartig in Europa; alle Aspekte des Sports über Multimedia-Installationen und interaktive Darstellungen.

MUSEU
D'ARQUEOLOGIA
DE CATALUNYA

Pg. de Santa Madrona, 39-41 →4.2 C1
T 93 423 21 49
www.mac.cat
Dieses Museum bietet im für die Weltausstellung von 1929 erbauten Palast der Grafischen Künste seine Sammlungen über die Wurzeln Kataloniens, von der Vorgeschichte bis zum Mittelalter.

MUSEU ETNOLÒGIC

Pg. de Santa Madrona, 16-22 →4.2 C1
www.museuetnologic.bcn.cat
Kulturobjekte von Völkern der ganzen Welt.

JARDÍ BOTÀNIC

Dr. Font i Quer, 2 →4.2 B2
www.jardibotanic.bcn.cat
Avantgardistische Landschaftsgestaltung zum Erhalt mediterraner Vegetation aus allen Erdteilen.

Restaurants,
Bars u.a.

In Poble-sec befinden sich zahlreiche Tavernen und typische Bars mit dem Charme des Stadtviertels wie La Bodegueta del Poble-sec (Blai, 47 →4.2 D1), Taverna Can Margarit (Concòrdia, 21 →4.2 D1), La Tomaquera (Margarit, 58 →4.2 D1) oder El Sortidor (Pl. del Sortidor, 5 →4.2 D1).

LA BELLA NAPOLI

Margarit, 14 →4.2 D1
T 93 442 50 56
(15-30 €)
Pizzas aus dem Holzofen, der Besitzer kommt aus Neapel, die Küche auch.

MONTJUÏC EL XALET

Av. de Miramar, 31 →4.2 D2
T 93 324 92 70
(50-60 €) + MENÜ FÜR GRUPPEN
Mediterrane Küche mit herrlichem Blick: große Terrasse und Drehrestaurant.

TINTA ROJA

Creu del Molers, 17 →4.2 D1
T 93 443 32 43
Cocktailbar. Innneres wie in Buenos Aires, Tango-Stunden.

Geschäfte

In der Zone von Poble-sec(→4.2 D1), finden wir noch viele kleine, traditionelle Einzelhandelsgeschäfte.

Interessante Souvenirs gibt es im Museu Olímpic i de l'Esport.

Außerdem

PISCINAS PICORNELL

Av. de l'Estadi, 30-38 →4.2 B1
Das einzige Schwimmbad in Barcelona mit Öffnungszeiten für Nacktbader; Whirlpool, Sauna und andere Einrichtungen (www. picornell.cat/serveis/ nudista.asp).

SKULPTUR CANVI

Pierre de Coubertin, s/n →4.2 B1
Das aus 36 Betonsäulen bestehende Werk von Miyawaki, deren Spitzen von Metallringen und Stahlkabeln umgeben sind, die besonders in der Abendsonne kräftig leuchten.

SCHUHABDRUCK
BEKANNTER SPORTLER

Av. de l'Estadi, 60 →4.2 C2
Olympiasieger und weltberühmte Sportler haben auf runden Platten den Abdruck ihrer Sportschuhe hinterlassen.

JARDINS DE MOSSÈN
CINTO VERDAGUER

Av. Miramar, 30 →4.2 D2
Erwähnenswert ist die Vielfalt an Pflanzen und der Wasserlauf über verschiedene terrassenförmige Ebenen.

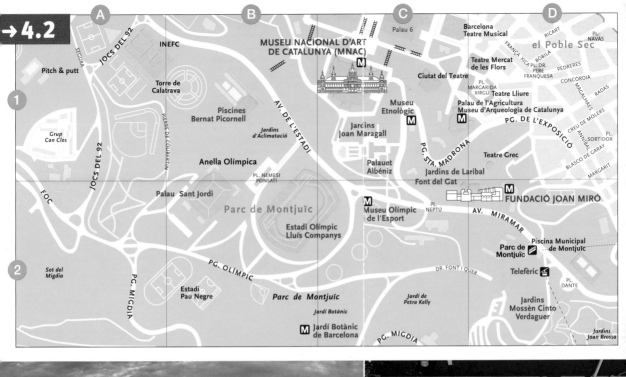

Map labels:

- SEGURA
- JOCS DEL 92
- INEFC
- A
- B
- Palau 6
- C
- Barcelona Teatre Musical
- RICART
- PL. NAVAS
- el Poble Sec
- D
- FRANÇA XICA
- BOBILA
- PL. DR. PERE FRANQUESA
- PEDRERES
- CONCÒRDIA
- Pitch & putt
- Torre de Calatrava
- MUSEU NACIONAL D'ART DE CATALUNYA (MNAC)
- Teatre Mercat de les Flors
- Ciutat del Teatre
- MAÇALHAES
- RADAS
- PL. MARGARIDA XIRGU
- Teatre Lliure
- Piscines Bernat Picornell
- Museu Etnològic
- Palau de l'Agricultura
- Museu d'Arqueologia de Catalunya
- PG. DE L'EXPOSICIÓ
- CREU DE MOLERS
- ANIBAL
- PL. SORTIDOR
- Grup Can Clos
- Jardins d'Aclimatació
- Jardins Joan Maragall
- PIERRE DE COUBERTIN
- AV. DE L'ESTADI
- BLASCO DE GARAY
- Anella Olímpica
- PL. NEMESI PONSATI
- Palauet Albéniz
- PG. STA. MADRONA
- Teatre Grec
- Jardins de Laribal
- Font del Gat
- MARGARIT
- FOC
- JOCS DEL 92
- Palau Sant Jordi
- Parc de Montjuïc
- Museu Olímpic de l'Esport
- PL. NEPTÚ
- FUNDACIÓ JOAN MIRÓ
- AV. MIRAMAR
- Estadi Olímpic Lluís Companys
- PG. MIGDIA
- PG. OLÍMPIC
- Sot del Migdia
- Estadi Pau Negre
- Parc de Montjuïc
- Jardí Botànic
- Jardí de Petra Kelly
- DR. FONT I QUER
- Parc de Montjuïc
- Piscina Municipal de Montjuïc
- Telefèric
- PL. DANTE
- Jardins Mossèn Cinto Verdaguer
- Jardí Botànic de Barcelona
- PG. MIGDIA
- Jardins Joan Brossa

Anell Olímpic →4.2 B1

Barcelona Bus Turístic

Jardí Botànic →4.2 B2

Olympische Feuerschale →4.2 C2

Marathon von Barcelona

Sehenswertes

→ **4.2** B2
ESTADI OLÍMPIC LLUÍS COMPANYS
1929 wurde das Olympiastadion erbaut. Der Beginn des Bürgerkriegs 1936 verhinderte die Durchführung der Volksolympiade. 1992 fanden dann dort nach einer Neugestaltung die Olympischen Spiele statt. 55.000 Sitzplätze.

Estadi Olímpic →**4.2** B2

→ **4.2** B2
PALAU SANT JORDI
Die Mehrzweckhalle, ein Werk von Arata Isozaki, ist die große überdachte Einrichtung des Olympischen Rings. Das gewölbte Dach gleicht dem Panzer einer Schildkröte. 17.000 Sitzplätze, bei Konzerten u.a. kulturellen Events sogar 24.000.

Palau Sant Jordi →**4.2** B2

→ **4.2** C1
JARDINS LARIBAL
Pg. de Santa Madrona, s/n
Auf der Nordseite des Montjuïc, auf einem Hang zur Stadt hin, befinden sich die im 19. Jh. angelegten Jardins Laribal. In der Nähe, in einer der dichtest bewaldeten Zonen des Parks, befindet sich der Brunnen Font del Gat, ein beliebtes Ausflugsziel der Barceloneser.

→ **4.2** C1
JARDINS JOAN MARAGALL
Av. de l'Estadi, 1
Hinter dem MNAC befinden sich die Jardins Joan Maragall und der Palauet Albéniz, wo hohe Gäste der Stadt logieren. Der Park drum herum im neoklassischen Stil mit Teichen und Skulpturen.

Font del Gat →**4.2** C1

Palauet Albéniz →**4.2** C1

Kastell + Miramar

Die dem Meer zugewandte Seite des Montjuïc ist ein idealer Ort für einen beschaulichen Spaziergang. Er beginnt beim Hafen bei den exotischen Jardins de Costa i Llobera; die Aussichtsplattform Miramar bietet einen herrlichen Blick aufs Mittelmeer. Zu übertreffen ist er nur von der Festung aus. Dort in der Nähe befinden sich die Parkanlagen Verdaguer und Petra Kelly sowie der Botanische Garten.

Friedhofsroute Montjuïc
Mit dem Namen Sueños de Barcelona wird eine kostenlose Führung zu 40 Gräbern mit Mausoleen und Skulpturen von großem künstlerischen Wert angeboten, die von Architekten und Bildhauern zwischen 1888 und 1936 geschaffen wurden und verschiedenen Stilrichtungen wie Modernisme und Realismus, neuägyptischer und neugotischer Stil zuzuordnen sind. Zeiten: zweiter + vierter Sonntag im Monat. Zeit:: 11 h. www.cbsa.es

Museen
REFUGI 307
Nou de la Rambla, 169
→ **4.3** C1
www.museuhistoria.bcn.cat
1937 von den Bürgern erbauter Bunker zum Schutz gegen die Bombardierung der faschistischen Luftwaffe. Ein anschauliches Zeugnis aus dem Spanischen Bürgerkrieg.

Restaurants
ELCHE
Vila i Vilà, 71 →**4.3** D2
T 93 441 30 89
(30-40 €) + MENÜ FÜR GRUPPEN
Mit langer Tradition. Fischgerichte, valencianische Küche, ausgezeichnete Reisgerichte.
QUIMET & QUIMET
Poeta Cabanyes, 25
→ **4.3** C1
T 93 442 31 42
(30-40 €)
Seit vier Generationen köstliche Tapas in einem winzigen Lokal.
ROSAL 34
Roser, 34 →**4.3** C1
T 93 324 90 46
(30-40 €)
Modernes, gemütliches Lokal und beste Tapas mit persönlicher Note.

Cafés + Bars
Auf dem Gipfel des Montjuïc:
Sowohl der Mirador del Alcalde wie auch die Imbissbuden und Terrassen bei der Festung laden zu einer Pause ein.
Poble-sec:
GRAN BODEGA SALTÓ
Blesa, 36 →**4.3** C1
Hundertjähriges, mit viel Geschmack renoviertes Lokal. Wein, Musik, Theater u.a.
PETIT APOLO
Nou de la Rambla, 115
→ **4.3** C2
Einzigartiges Bierlokal: an jedem Tisch ein Zapfhahn. Die konsumierte Menge erscheint auf einem Bildschirm.

SALA APOLO
Nou de la Rambla, 113
→ **4.3** D1
Die besten Nachtlokale am Paral·lel: Nitsa (Fr + Sa); Canibal (Mi) Powder Room (Do) und Nasty Mondays (Mo).

Außerdem
CAMÍ DE MAR
→ **4.3** C2 A2
Angenehmer 20-minütiger Fußweg vom Mirador de l'Alcalde zum Mirador del Migdia, wo sich ein phantastischer Blick auf die Stadt, den Hafen, die Küste und das Llobregat-Delta auftut. Bänke an der Festungsmauer, Kunstwerke wie die dem Dezimalmaß gewidmete Skulptur und ein Picknickplatz beim Mirador del Migdia.
PÍCNIC EN EL CEL
In den Sommermonaten Abendessen in den Gondeln der Seilbahn, ca. einstündige Rundfahrt.
JARDINS DE MOSSÈN COSTA I LLOBERA
→ **4.3** C2
Im südlichen Teil des Montjuïc mit Blick aufs Meer, verschiedenste Kakteenarten und Dickblattgewächse.

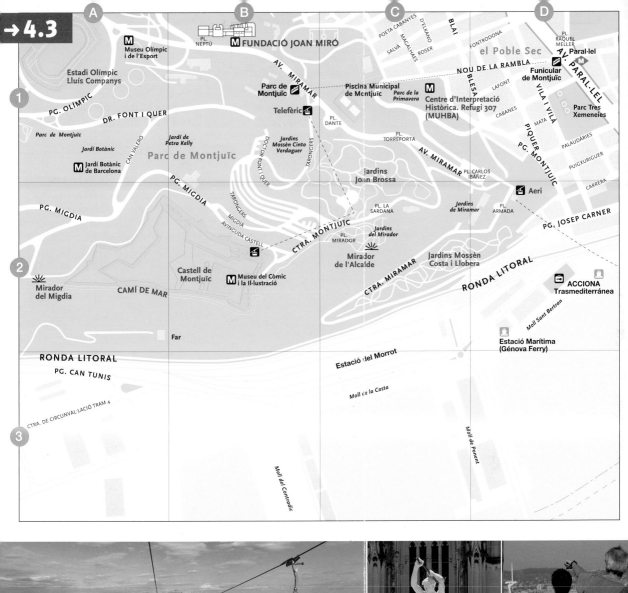

A B C D

Museu Olímpic
i de l'Esport

PL.
NEPTÚ

FUNDACIÓ JOAN MIRÓ

POETA CABANYES

D'ELKANO

MACAL·HAES

BLAI

FONTRODONA

el Poble Sec

PL.
RAQUEL
MELLER

Al. Paral·lel

AV. PARAL·LEL

Estadi Olímpic
Lluís Companys

SALVÀ

ROSER

NOU DE LA RAMBLA

BLESA

LAFONT

Funicular
de Montjuïc

1

PG. OLÍMPIC

DR. FONT I QUER

Parc de
Montjuïc

AV. MIRAMAR

Piscina Municipal
de Montjuïc

Parc de la
Primavera

Centre d'Interpretació
Històrica. Refugi 307
(MUHBA)

CABANES

VILA I VILA

PG. MONTJUÏC

MATA

Parc Tres
Xemeneies

Parc de Montjuïc

Teleféric

PL.
DANTE

PL.
TORREFORTA

AV. MIRAMAR

PALAUDARIES

Jardí de
Petra Kelly

Jardí Botànic

CAN VALERO

Jardí de
Petra Kelly

Jardins
Mossèn Cinto
Verdaguer

PL. CARLOS
IBÁÑEZ

PUIGXURIGUER

Jardí Botànic
de Barcelona

Parc de Montjuïc

DOCTOR FONT I QUER

TARONGERS

Jardins
Joan Brossa

Aeri

CARRERA

PG. MIGDIA

PG. MIDGIA

TARONGERS

MIGDIA

AVINGUDA CASTELL

CTRA. MONTJUÏC

PL. LA
SARDANA

Jardins
de Miramar

PL.
ARMADA

PG. JOSEP CARNER

2

Mirador
del Migdia

CAMÍ DE MAR

Castell de
Montjuïc

Museu del Còmic
i la Il·lustració

PL.
MIRADOR

Jardins
del Mirador

Mirador
de l'Alcalde

CTRA. MIRAMAR

Jardins Mossèn
Costa i Llobera

RONDA LITORAL

ACCIONA
Trasmediterránea

Far

Moll Sant Bertran

Estació Marítima
(Génova Ferry)

RONDA LITORAL

Estació del Morrot

PG. CAN TUNIS

Moll de la Costa

Moll de Ponent

3

CTRA. DE CIRCUNVAL·LACIÓ TRAM 4

Moll del Contradic

Teleféric de Montjuïc →4.3C1

Kirchhof →4A4

Mirador del Migdia →4.3A2

Sehenswertes

→ **4.3** B2
CASTELL DE MONTJUÏC

T 93 329 86 13
www.bcn.cat/castellde-montjuic

Die Festung beherrscht vom Gipfel des Montjuïc aus die Stadt und die Küste. Ursprünglich war im 17. und 18. Jh. ein Wachturm in einem kleinen Fort erbaut worden. Sehenswert der Innenhof und das Bollwerk. Das Museum des Friedens wird dort seinen Sitz haben.

Kastell von Montjuïc → 4.3 B2

→ **4.3** C2
MIRADOR DE L'ALCALDE

Unterhalb der Festung befindet sich die von Anlagen umgebene Aussichtsplattform Mirador del Alcalde; das Bodenmosaik aus verschiedenen Materialien ist das Werk von J. J. Tharrats; schöner Blick auf den Hafen und das Mittelmeer.

Mirador de l'Alcalde → 4.3 C2

→ **4.3** B1
TELEFÈRIC DE MONTJUÏC

T 93 310 50 94
www.tmb.net

Die Seilbahn vom Monjuïc lädt zu einer Fahrt über den Berg ein. Moderne Gondeln mit acht Plätzen und drei Stationen: Parc de Montuïc (bei der Plaça Dante), Mirador und Castell.

→ **4.3** D2
AERI DEL PORT

T 93 225 27 18

Diese Seilbahn überquert den Hafen auf einer Länge von 1.300 Metern, gestützt durch drei enorme Türme – Sant Sebastià in der Barceloneta, Jaume I beim World Trade Center und Miramar.

Telefèric → 4.3 B1

Aeri → 4.3 D1

Das Gesicht der Zunkunft

22@

22@ ist der neue Technologiebezirk von Barcelona: wer das künftige Gesicht der Stadt kennen lernen möchte, muss hierher kommen. Die Diagonal zwischen Plaça de les Glòries und Meer ist die zentrale Achse des Viertels, das in Poblenou eine Fläche so groß wie 115 Häuserblocks des Eixample einnimmt. Im 19. Jh. war dies ein reines Fabrikviertel, heute beherrschen die Zone Unternehmen aus der audiovisuellen, der Technologie-, Informations-, Kommunikations- sowie der Biomedizinbranche, die sich neben Bürohochhäusern, Wohnblocks, Universitätsgebäuden und anderen Serviceeinrichtungen niedergelassen haben. Einige der namhaftesten zeitgenössischen Architekten haben die Gebäude des Distrikts 22@ gestaltet.

Absolutes Muss

→ **5** B2 **TORRE AGBAR**

Avinguda Diagonal, 209-211 | www.torreagbar.com

Der Torre Agbar ist eines der neuen architektonischen Wahrzeichen der Stadt. Der Schöpfer Jean Nouvel ließ sich vom Bergzug Montserrat und der Sagrada Familia inspirieren. Er besticht durch die runde, spindelförmige Bauweise. Mit seinen 144 Metern Höhe ist er weithin sichtbar, insbesondere nachts, wenn er in verschiedenen Farben beleuchtet ist.

→ **5** A2 **L'AUDITORI / MUSEU DE LA MÚSICA**

Lepant, 150 | T 93 247 93 00 | www.auditori.cat
Padilla, 155 | T 93 256 36 50 | www.museumusica.bcn.cat

1999 wurde das Auditori eingeweiht, ein von dem Architekten Rafael Moneo entworfenes Konzerthaus mit drei Sälen mit 2.200, 600 bzw. 400 Sitzplätzen und umfangreichem Programm. In dem Komplex sind die Musikhochschule sowie das Musikmuseum mit seiner Sammlung von 500 Musikinstrumenten untergebracht.

→ **5** A2 **TEATRE NACIONAL DE CATALUNYA**

Plaça de les Arts, 1 | T 93 306 57 00 | www.tnc.cat

Das Teatre Nacional de Catalunya (TNC) bildet zusammen mit dem Auditori das kulturelle Zentrum der Plaça de les Arts. Das durch die Klassik inspirierte Gebäude, ein Werk von Ricardo Bofill, wurde 1996 eingeweiht. Auf dem Programm stehen bekannte Repertoirestücke wie neue Werke, Inszenierungen einheimischer wie ausländischer Künstler, Tanz ebenso wie Kindertheater. Es verfügt über drei Säle mit 900, 500 bzw. 300 Sitzplätzen.

→ **5** D2 **PARC DEL CENTRE DEL POBLENOU**

Avinguda Diagonal, 130 | T 93 310 50 94

Dies ist der jüngste Park von Barcelona. Er wurde im Frühjahr 2008 eröffnet und wie der Torre Agbar von Jean Nouvel entworfen. Der Park in der Nähe der Diagonal wartet mit Schattenplätzen auf und ist so ein Ort der Ruhe mitten in der Stadt, etwas Ungewohntes für den Besucher. Hervorzuheben sind die Bilder und Skulpturen entlang der Rundwege.

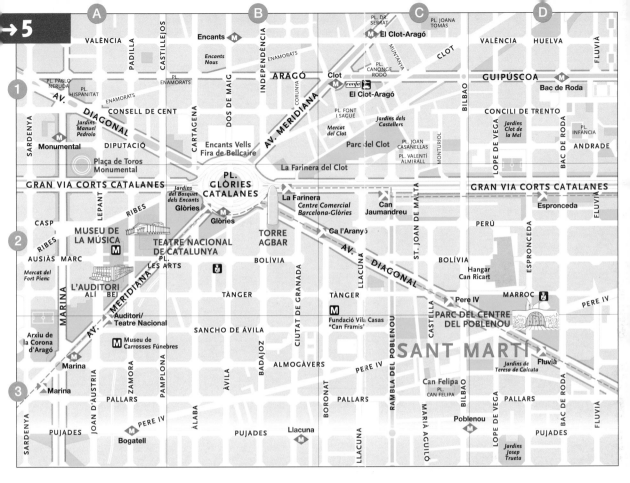

Centro cultural

FUNDACIÓ VILA CASAS. CAN FRAMIS
Roc Boronat, 116 →5 C2
www. fundaciovilacasas.com
Beherbergt die zeitgenössische katalanische Malerei in zwei Hallen einer ehemaligen Wollfabrik aus dem 17, Jh.

Restaurants
In diesem neuen Distrikt gibt es keine traditionsreichen Restaurants, aber doch einige interessante wie El Pastor (Zamora, 78;

→5 A3), Mittagsrestaurant Megataverna del Poblenou, oder 22Alfa Restaurant (Badajoz, 115; →5 B3), mit kreativer mediterraner Küche sowie viele andere mit Mittagsmenü und vielfältigem gastronomischen Angebot im Einkaufszentrum Les Glòries (Pasta City, La Gárgola de Notre Dame, Cantina Mariachi, Araguil, etc.) →5 B2.

Mehr als 60 € → S. 58
CAN PINEDA
DOS CIELOS

Cafés + Bars
Das Gleiche gilt für Cafés und Bars. Erwähnenswert sind Pepe Bar (Pamplona, 91; →5 A3), eine Kultstätte des Rock & Roll, sowie einige Tapas-Bars, Bierlokale und Cafés des populären Viertels Clot: Celler ca la Paqui (Sant Joan de Malta, 53; →5 C2), Donde Pican los Santos (Aragó, 612; →5 C1), oder Bracafé (Clot, 89; →5 C1).

Geschäfte

Einkaufszentrum:
BARCELONA-GLÒRIES
→ S. 56

Lohnenswert ist ein Besuch der Outlet Leather Factory (Ávila, 105; →5 B3) preisgünstige Lederwaren; Casco Antiguo (Clot, 131; →5 C1) mit Tauchartikeln sowie die Bodega Sopena (Clot, 55; →5 C1) mit ihren Weinen und Cava.

Außerdem

HANGAR
Passatge Marquès de Santa Isabel, 40 →5 D2
www.hangar.org
Produktionszentrum der visuellen Künste in einer ehemaligen Fabrik mit 15 Studios, einem Medienlabor und 2 Bühnen.

FIRA DE BELLCAIRE „ELS ENCANTS"
Pl. de les Glòries, 8 →5.3 B1
Flohmarkt

PARC DEL CLOT
Escultors Claperós, 55
→5 C1
Park auf einem ehemaligen Industriegelände, Schornsteine, Mauern, Bögen und Fenster sind in die Grünzonen mit Teichen integriert.

CAN FELIPA
Pallars, 277 →5 C3
Kulturzentrum in einer ehemaligen Fabrik, besonderes Interesse für neueste künstlerische Produktionen.

Torre Agbar →5B2

L'Auditori →5A2

Die Wohnviertel der Stadt

Les Corts
Sarrià
Sant Gervasi

Les Corts und Sarrià-Sant Gervasi an den Ausläufern der Sierra de Collserola gehören zu den bevorzugten Wohnvierteln der Stadt. Pedralbes, oberhalb von Les Corts, grenzt an die Sierra an, außerdem gibt es weitere Grünzonen wie den Park Cervantes oder die Parkanlage des Palau Reial. Sarrià-Sant Gervasi einschließlich Vallvidrera liegen schon mitten in der Sierra von Collserola, mehr als die Hälfte ihrer Fläche liegt oberhalb der Ringstraße Ronda de Dalt. Sarrià, letzter Anfang des 20. Jh. eingemeindeter Ort, bewahrt noch seinen alten Kern, der weiterhin Mittelpunkt der Zone ist.

Absolutes Muss

→ 6 A2 PAVELLONS DE LA FINCA GÜELL
Avinguda de Pedralbes, 7 | T 93 204 52 50
Das Tor zur Finca Güell ist eine der phantasiereichsten Arbeiten Gaudís. Es stellt einen fauchenden Drachen dar, ursprünglich war er bunt und bewegte sich durch einen Mechanismus beim Öffnen. Durch die Gittertür gelangt man zu den Pförtnerhäuschen und Reitställen des Grundstücks, das Eusebi Güell, Gaudís Mäzen, in der Nähe der Diagonal besaß. Auf dem Grundstück wurde später der Königspalast erbaut. Die ehemaligen Reitställe waren jahrelang Sitz der Càtedra Gaudí, dem Gaudí-Lehrstuhl für Architektur.

→ 6 A1 MUSEU-MONESTIR DE PEDRALBES
Baixada del Monestir, 9 | T 93 203 92 82 | www.museuhistoria.bcn.cat
Vor siebenhundert Jahren wurde hoch über Barcelona das Kloster Pedralbes errichtet. Die Kirche und das Kloster mit einem herrlichen dreigeschossigen Kreuzgang sind eines der schönsten und best erhaltenen Ensemble der katalanischen Gotik. Seit 1327 gehörte es dem Orden der Klarissinnen, 1983 wurde ein Teil des Klosters Museum und für Besucher zugänglich. Zu sehen sind Gemälde- und Keramiksammlungen, Gold- und Silberschmiedekunst und Möbel. Sehenswert die Kapelle Sant Miquel mit Wandmalereien von Ferrer Bassa.

→ 6 A3 CAMP NOU - FC BARCELONA
Avinguda Joan XXIII, s/n | T 902 189 900 | www.fcbarcelona.cat
Das Stadion des F.C. Barcelona mit seinen 99.000 Sitzplätzen ist eine der Fußballkathedralen der Welt. Seit der Einweihung 1957 war es der Schauplatz der Heldentaten des Barça. An Spieltagen versammeln sich hier die lokalen Fans, die sich da wie Zuhause fühlen. Zudem interessieren sich eine Million Besucher pro Jahr für die Installationen und das Museum mit den Trophäen des Klubs und Objekten und Bildern aus seiner Geschichte.

Parc del Centre del Poblenou →5D2

Teatre Nacional de Catalunya (TNC) →5A2

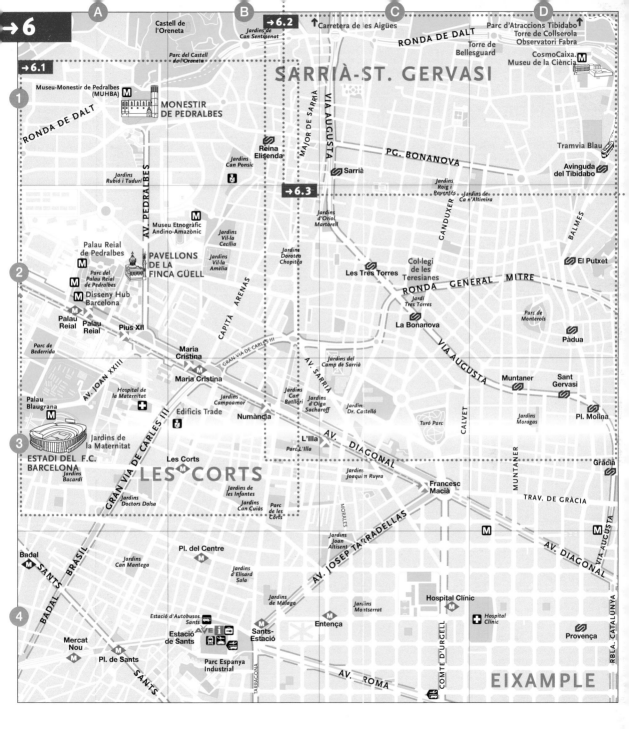

→ 6.2

→ 6.1

→ 6.3

SARRIÀ-ST. GERVASI

A | B | C | D

1

2

3

4

Castell de l'Oreneta

Jardins de Can Sentmenat

↑ Carretera de les Aigües

RONDA DE DALT

Torre de Bellesguard

Parc d'Atraccions Tibidabo
Torre de Collserola
Observatori Fabra

CosmoCaixa M
Museu de la Ciència

Parc del Castell de l'Oreneta

Museu-Monestir de Pedralbes (MUHBA) M

MONESTIR DE PEDRALBES

RONDA DE DALT

MAJOR DE SARRIÀ

VIA AUGUSTA

PG. BONANOVA

Tramvia Blau

Jardins Rubió i Tudurí

Jardins Can Ponsic

Reina Elisenda

Sarrià

Jardins Roig i Raventós

Jardins de Ca n'Altimira

Avinguda del Tibidabo

AV. PEDRALBES

Museu Etnogràfic Andino-Amazònic M

Jardins d'Oriol Martorell

GANDUXER

BALMES

Palau Reial de Pedralbes

Jardins Vil·la Cecília

Jardins Vil·la Amèlia

Jardins Dorotea Chopitea

Les Tres Torres

Col·legi de les Teresianes

El Putxet

PAVELLONS DE LA FINCA GÜELL

M Parc del Palau Reial de Pedralbes
M Disseny Hub Barcelona

RONDA GENERAL MITRE

CAPITA ARENAS

Jardí Tres Torres

Parc de Monterols

Palau Reial M   Palau Reial   Pius XII

La Bonanova

VIA AUGUSTA

Pàdua

Parc de Bederrida

Maria Cristina

GRAN VIA DE CARLES III

Jardins del Camp de Sarrià

Muntaner

Sant Gervasi

AV. JOAN XXIII

Maria Cristina

Hospital de la Maternitat

Jardins Campoamor

Jardins Can Batlló

Jardins d'Olga Sacharoff

Jardins Dr. Castelló

Turó Parc

CALVET

Jardins Moragas

MUNTANER

Pl. Molina

Palau Blaugrana M

Edificis Trade

Numància

L'Illa

AV. SARRIÀ

AV. DIAGONAL

Gràcia

Jardins de la Maternitat

Parc L'Illa

Jardins Joaquín Ruyra

ESTADI DEL F.C. BARCELONA

Jardins Bacardí

LES CORTS

Jardins Doctors Dolsa

Jardins de les Infantes

Jardins Can Cuiàs

Parc de les Corts

Francesc Macià M

TRAV. DE GRÀCIA

GRAN VIA DE CARLES III

MORALES

M

M

VIA AUGUSTA

AV. DIAGONAL

Badal M

SANTS

BRASIL

BADAL

Pl. del Centre

Jardins Can Mantega

Jardins d'Elisard Sala

AV. JOSEP TARRADELLAS

Jardins Joan Altisent

Hospital Clínic

RBLA. CATALUNYA

Jardins de Màlaga

Jardins Montserrat

M Hospital Clínic

Mercat Nou M

Estació d'Autobusos Sants

AVE i

Estació de Sants

Sants-Estació

Entença M

COMTE D'URGELL

Provença

Pl. de Sants M

SANTS

Parc Espanya Industrial

TARRAGONA

AV. ROMA

EIXAMPLE

Les Corts

Die ehemalige Gemeinde Les Corts sowie Maternitat Sant Ramon und Pedralbes bilden diesen Distrikt zu beiden Seiten der Diagonal am Stadtende. Hier konnte dank des Wassers, das von der Sierra de Collserola herabfloss, Landwirtschaft betrieben werden. Heute noch zeichnet sich die Gegend durch viel Grün aus, dank der Sportanlagen, Parks und der angrenzenden Sierra de Collserola.

Drachentor der Finca Güell →6A2

Museu-Monestir de Pedralbes →6A1

Camp Nou - FC Barcelona →6A3

Museen

**MUSEU DEL
FC BARCELONA**
Av. Arístides Maillol, accessos 7 i 9 →**6.1**A4
www.fcbarcelona.cat
Das führende Fußball-Museum der Welt. Mehr als eine Million Besucher pro Jahr.
**MUSEU DE LES
ARTS DECORATIVES**
Av. Diagonal, 686 →**6.1**A2
www.museuartsdecoratives.bcn.cat
Zurzeit wird das Museum erweitert und zum „Zentrum des Designs" umgestaltet.
MUSEU DE CERÀMICA
Av. Diagonal, 686 →**6.1**B2
www.museuceramica.bcn.cat
Spanische Keramik-Sammlung von internationalem Rang.

Restaurants

Mehr als 60 € → S. 58
**CAN CABA
NEICHEL** *
*Michelin-Sterne
EL RUS
Comandant Benítez, 18
→**6.1**A4. T 93 490 56 34
(40-60 €) + DEGUSTATIONSMENÜ
Degustation kleiner Gerichte mit den besten frischen Erzeugnissen.
LA BOTIGA PEDRALBES
Gandesa, 10 →**6.1**C4
T 93 410 48 47
(20-30 €) + MENÜ FÜR GRUPPEN
Kreative katalanische

Küche. Lokal mit Pop-Avantgarde-Design.
LA TERTÚLIA
Morales, 15 →**6** C3
T 93 419 58 97
(20-40 €) + MITTAGSMENÜ
Interessante Gerichte der Saison in einem reizvollen Lokal.
**MUSSOL
PEDRALBES CENTRE**
Av. Diagonal, 611 →**6.1** C3
T 93 410 13 17
(20-30 €) + MENÜ FÜR GRUPPEN
Spezialisiert auf die typisch katalanische Küche zu vernünftigen Preisen.
NEGRO-ROJO
Av. Diagonal, 640 →**6.1** C3
(35-45 €) + MITTAGSMENÜ
T 93 405 94 44
Zwei Etagen, zwei Ambiente. Oben kosmopolitische Gerichte, unten japanische Küche.

Cafés + Bars

**FRANKFURT
PEDRALBES**
Jordi Girona, 4 →**6.1**A2
(6-15 €)
Studentenkneipe, gute Hot-dogs.
SANDOR
Plaça de Francesc Macià, 5 →**6** C3
Hier trifft sich das wohlhabende Bürgertum von Barcelona, Terrasse das ganze Jahr über.

Geschäfte

Eine Zone großer Einkaufszentren, weniger der kleinen Geschäfte.

Kaufhäuser, → S. 56
Einkaufszentren:
**EL CORTE INGLÉS
L'ILLA DIAGONAL
PEDRALBES CENTRE**

BOTIGA FCB
Av. Arístides Maillol, s/n
→**6.1**A4
Offizielle Ausrüstung des FCB, Mode, Schlafanzüge, Babykleidung, Accessoires, Wohnartikel, etc.
RAIMA
Deu i Mata, 70 →**6.1** C4
Ein klassisches Papiergeschäft der Stadt, alles nach Farben geordnet.

Außerdem

**VIL·LA CECÍLIA
UND VIL·LA AMÈLIA**
→**6.1** C2
Grünanlage in ehemaligem ausgedehnten privaten Landgut, eine Oase der Ruhe mit hundertjährigen Bäumen.
**PLAÇA DE
LA CONCÒRDIA**
→**6.1** C4
Mit den Plätzen Can Rosés und Can Comas bildet dieser Platz den Kern des alten Teils von Les Corts, das 1897 in Barcelona eingemeindet wurde.
PORTA MIRALLES
→**6.1** C3
Das Tor mit Kleeblattbogen wurde von Gaudí zwischen 1901 und 1902 für das Landgut seines Freundes Miralles konzipiert.

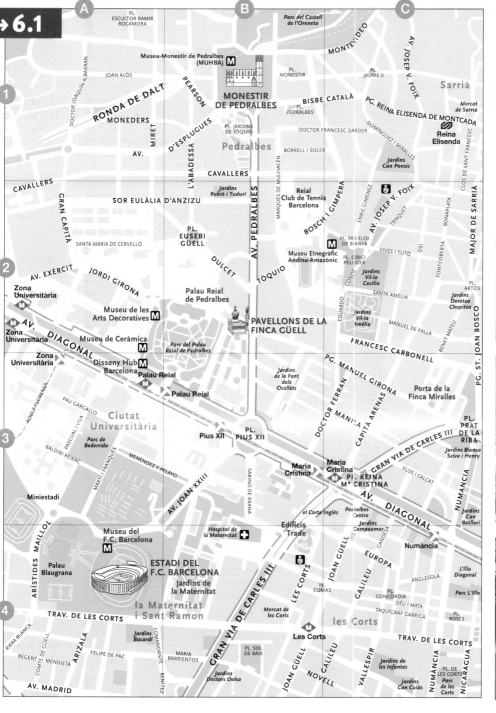

A

PL. ESCULTOR RAMIR ROCAMORA

Parc del Castell de l'Oreneta

B

MONTEVIDEO

C

AV. JOSEP V. FOIX

Sarrià

Museu-Monestir de Pedralbes (MUHBA) Ⓜ

PL. MONESTIR

PL. JAUME II

Mercat de Sarrià

JOAN ALÒS

MONESTIR DE PEDRALBES

PL. PEDRALBES

BISBE CATALÀ

PG. REINA ELISENDA DE MONTCADA

DOCTOR JOAQUIN ALBARRAN

1

RONDA DE DALT

PEARSON

PL. JARDINS DE TÒQUIO

DOMÍNGUEZ I MIRALLES

CLOS DE SANT FRANCESC

Ⓜ Reina Elisenda

MONEDERS

Pedralbes

DOCTOR FRANCESC DARDER

MIRET

D'ESPLUGUES

BORRELL I SOLER

Jardins Can Ponsic

AV.

L'ABADESSA

CAVALLERS

CAVALLERS

SOR EULÀLIA D'ANZIZU

GRAN CAPITÀ

Jardins Rubió i Tudurí

MARQUÈS DE MULHACÉN

Reial Club de Tennis Barcelona

BOSCH I GIMPERA

AV. PEDRALBES

ENRIC GIMENEZ

AV. JOSEP V. FOIX

TRINQUET

BONAPLATA

MAJOR DE SARRIÀ

SANTA MARIA DE CERVELLÓ

PL. EUSEBI GÜELL

DULCET

TÒQUIO

Ⓜ Museu Etnogràfic Andino-Amazònic

PL. FRA ELOI DE BIANYA

VIVES I TUTÓ

OSI

FONTCOBERTA

PL. ARTÓS

2

AV. EXÈRCIT

JORDI GIRONA

Palau Reial de Pedralbes

PL. CIRICI PELLICER

Jardins Vil·la Cecília

SANTA AMÈLIA

Jardins Dorotea Chopitea

Zona Universitària Ⓜ

Museu de les Arts Decoratives Ⓜ

PAVELLONS DE LA FINCA GÜELL

EDUARDO

Jardins Vil·la Amèlia

MANUEL DE FALLA

BENET MATEU

PG. ST. JOAN BOSCO

Ⓜ AV.

Zona Universitària

DIAGONAL

Museu de Ceràmica Ⓜ

Parc del Palau Reial de Pedralbes

FRANCESC CARBONELL

Zona Universitària

Disseny Hub Barcelona Ⓜ

Palau Reial Ⓜ

PG. MANUEL GIRONA

PAU GARGALLO

▲ Palau Reial

Porta de la Finca Miralles

ADOLF FLORENSA

Ciutat Universitària

Jardins de la Font dels Ocellets

DOCTOR FERRAN

MANILA

CAPITÀ ARENAS

PL. PRAT DE LA RIBA

PASCUAL VILA

3

BALDIRI REIXAC

Parc de Bederrida

MENENDEZ Y PELAYO

Pius XII

PL. PIUS XII

GRAN VIA DE CARLES III

Jardins Blanca Selva i Henry

MARTÍ I FRANQUÈS

SABINO DE ARANA

FLOS I CALCAT

Jardins Can Batllori

Miniestadi

AV. JOAN XXIII

Maria Cristina

Maria Cristina Ⓜ

PL. REINA Mª CRISTINA

AV. DIAGONAL

NUMÀNCIA

Jardins Can Batllori

el Corte Inglés

Pedralbes Centre

Jardins Campoamor

NUMÀNCIA

Jardins Can Battlori

Museu del F.C. Barcelona Ⓜ

Hospital de la Maternitat ✚

Edificis Trade

Numància

EUROPA

L'Illa Diagonal

Parc L'Illa

ARÍSTIDES MAILLOL

Palau Blaugrana

ESTADI DEL F.C. BARCELONA

Jardins de la Maternitat

JOAN GÜELL

GALILEU

PL. CONCÒRDIA

ANGLESOLA

PL. ROSES

4

ARIZALA

FELIPE DE PAZ

COMTE DE GÜELL

REGENT MENDIETA

RIERA BLANCA

la Maternitat i Sant Ramon

TRAV. DE LES CORTS

Jardins Bacardí

COMANDANTE BENÍTEZ

MARIA BARRIENTOS

GRAN VIA DE CARLES III

PL. SOL DE BAIX

Mercat de les Corts

PL. COMAS

DÉU I MATA

TAQUÍGRAF GARRIGA

les Corts

TRAV. DE LES CORTS

PL. DE LES CORTS

NICARAGUA

AV. MADRID

Jardins Doctors Dolsa

JOAN GÜELL

Les Corts Ⓜ

GALILEU

NOVELL

VALLESPIR

Jardins de les Infantes

Jardins Can Cuiàs

Parc de les Corts

Porta Miralles → 6.1 C3

Fakultät für Biologie → 6.1 A3

Plaça de la Concòrdia → 6.1 C4

Vil·la Cecília → 6.1 C2

Sehenswertes

→ 6.1 B2
PALAU DE PEDRALBES

Avinguda Diagonal, 686
Im ersten Drittel des 20. Jh. wurde der Palau Reial auf dem ehemaligen Grundstück der Güells erbaut, das auch das Keramik-Museum und das der dekorativen Künste beherbergt. Ab 2009 wird es der permanente Sitz der Mittelmeer-Union sein. Der Palast ist von einem Park mit hohen Bäumen umgeben, der Campus der Universität grenzt an den Komplex.

Palau de Pedralbes →6.1 B2

→ 6.1 A3
MUSEU TÈXTIL I D'INDUMENTÀRIA

Avinguda Diagonal, 686
T 93 256 34 63
www.museutextil.bcn.cat
Das Museu Tèxtil i d'Indumentària lädt mit seiner Sammlung von Kleidern, Schmuck und Accessoires aus verschiedenen Epochen zu einer Reflexion über Kleidung und Mode ein. Es befand sich jahrelang in der Carrer Montcada und ist nun im Palau de Pedralbes untergebracht.

Museu Tèxtil →6.1 A3

→ 6.1 B4
MATERNITAT

Travessera de les Corts, 159
Die Pavillons der Casa de la Maternitat, mit deren Bau am Ende des 19. Jh. begonnen wurde, sind ein interessantes architektonisches Ensemble des Modernisme und Noucentisme. Sehenswert auch der Park.

Maternitat →6.1 B4

→ 6.1 B4
EDIFICIS TRADE

Avinguda Carles III, 84-89
Ein Klassiker der modernen Architektur in Barcelona am Ende der Avinguda Carles III: vier Bürotürme mit wellenförmigem Grundriss und schwarzer Glasfassade. 1968 von Coderch de Sentmenat konzipiert.

Edificis Trade →6.1 B4

Sarrià + Sant Gervasi

Der Charakter des Wohnviertels Sarrià-Sant Gervasi im höher gelegenen Teil der Stadt begünstigte den Bau zahlreicher Einfamilienhäuser mit Garten, wodurch vor mehr als hundert Jahren sein Aussehen bestimmt war. Die Spuren Gaudís und anderer zeitgenössischer Architekten sind in der Zone zu finden, die sich allmählich dem übrigen Stadtbild angepasst hat.

Gaudí-Route

Zwei Werke des großen Genies befinden sich in dieser Zone. Das **Colegio de las Teresianas**, ein schlichtes Gebäude aus Natur- und Backstein mit schönen Details im hellen Inneren, und **Bellesguard**, durch das Gaudí die katalanische Gotik besonders würdigte. Nur von außen zu besichtigen.

Restaurants

Mehr als 60 € → S. 58
ÀBAC **
EL RACÓ D'EN FREIXA *
HOFFMAN *
VIA VENETO *
* Michelin-Sterne

CASA JOANA

Major de Sarrià, 59
→**6.2** A2
T 93 203 10 36
(20-30 €) + MITTAGSMENÜ
Wirkt immer noch wie ein altes Gasthaus. Schmackhafte bürgerliche Küche.

CASA FERNÁNDEZ

Santaló, 46 →**6.2** C4
T 93 201 93 08
(40-50 €) + MENÜ FÜR GRUPPEN
Hausmannskost und kalte und warme Tapas bis 1 h. Reiche Auswahl an Bieren.

COURE

Passatge Marimón, 20
→**6** D3
T 93 200 75 32
(50-60 €)
Chefkoch Albert Ventura bietet tradionale katalanische Küche mit Raffinesse und Phantasie.

FLASH-FLASH

Granada del Penedès, 25
→**6** D3
T 93 237 09 90
(20-30 €)
Spezialisiert auf Tortillas. Durchgehend warme Küche von 13–1 h in einem Lokal mit Pop-Design.

HISOP

Passatge Marimón, 9 →**6** D3
T 93 241 32 33
(50-60 €) + MITTAGSMENÜ
Zwei junge Köche überraschen mit ihrer zeitgenössischen katalanischen Küche.

IL GIARDINETTO

Granada del Penedès, 22
→**6** D3
T 93 218 75 36
(40-50 €) + MITTAGSMENÜ
Wie ein Garten gestaltet, ausgezeichnete italienische Küche.

L'OLIANA

Santaló, 54 →**6.2** C4
T 93 201 06 47
(45-55 €) + MENÜ FÜR GRUPPEN
Traditionelle katalanische Küche in elegantem Ambiente mit viel Licht.

Cafés + Bars

BAR TOMÁS

Major de Sarrià, 49
→**6.2** A2
Stadtteilkneipe, für Viele gibt's hier die besten Patatas bravas der Stadt.

DOLE

Manuel de Falla, 16-18
→**6.1** C2
Bar, mit treuer Kundschaft und ausgezeichnetem Service.

Geschäfte

HARLEY DAVIDSON BCN

Calvet, 51-53 →**6** C3
Konzessionär der mythischen Marke. Accessoires, Kleidung und Werkstatt.

PASTISSERIA FOIX

Major de Sarrià, 57 →**6.2** A2
Pl. de Sarrià, 12-13
Seit 1886. Hat Torten für königliche Hochzeiten zubereitet, Versendung der Erzeugnisse in die ganze Welt.

PUIG DORIA

Av. Diagonal, 612 →**6** C3
Juweliergeschäft mit kreativem und innovativem.

Außerdem

JARDINS TERAPÈUTICS DE VIL·LA FLORIDA

Muntaner, 54 →**6.2** C2
Zwei klassische Therapiemethoden bei einem kleinen Rundgang: Wassertretbecken und Faserteppich.

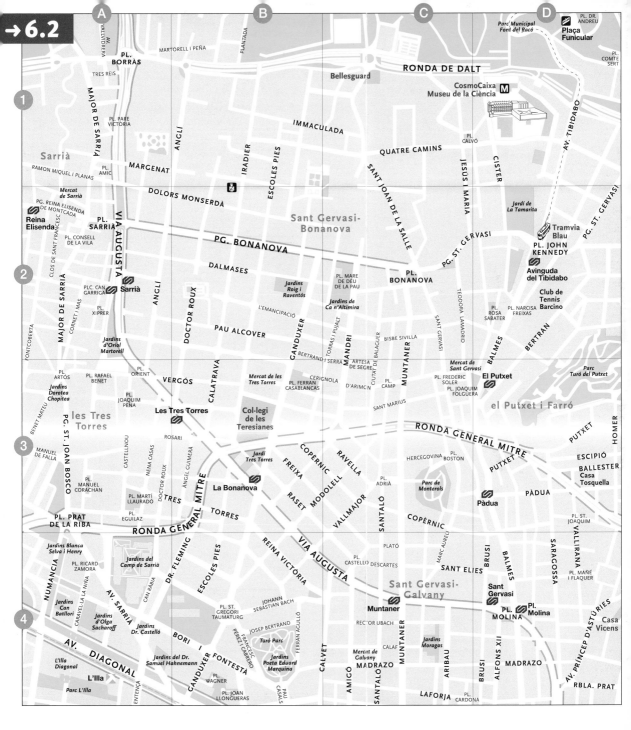

Sehenswertes

→ 6.2 D1
COSMOCAIXA
Isaac Newton, 26
T 93 212 60 50
www.fundacio.lacaixa.es
CosmoCaixa ist ein innovatives Museum, das
durch die Betrachtung
natürlicher Phänomene
zu wissenschaftlicher
Erkenntnis führen will.
Inkl. Tropenwald, in dem
Flora und Fauna des
Amazonas dargestellt
sind, und Planetarium.

CosmoCaixa →6.2 D1

→ 6.2 C1
**TORRE DE
BELLESGUARD**
Bellesguard, 16-20
Wo König Martin der
Menschliche im 15. Jh. sein
Sommerhaus hatte, erbaute Gaudí zu Beginn des 20.
Jh. die Villa Bellesguard:
ein Wohnhaus im neugotischen Stil mit einem von
einem vierarmigen Kreuz
gekrönten Turm.

Torre de Bellesguard →6.2 C1

→ 6.2 B3
**COL·LEGI DE
LES TERESIANES**
Ganduxer, 85-105
Auffallend ist der strenge Stil am Ordenshaus
der Theresianernonnen,
das Gaudí 1887 erbaute. Backstein ist das
bevorzugte Material,
damit gestaltete er
die Spitzbögen der
Fenster und die Zinnen.
Hervorzuheben ist der
Korridor mit Parabelbögen
im Inneren.

Col·legi de les Teresianes →6.2 B3

→ 6.2 D2
TRAMVIA BLAU
Die Tramvia Blau gibt
es schon seit über
hundert Jahren. Die
Original-Straßenbahn
legt eine Strecke von
1.276 Metern und einen
Höhenunterschied von
93 Metern zurück, von
der Plaça Kennedy bis
zur Plaça Dr. Andreu, wo
die Standseilbahn zum
Tibidabo abfährt.

Tramvia Blau →6.2 D2

Collserola

Der Park Collserola ist die große grüne Lunge von Barcelona,
ein umfangreiches Waldgebiet, das sich vom Río Besós bis
zum Río Llobregat hinzieht und die Stadt von der Gemarkung
des Vallès trennt. Ein Teil ist besiedelt, seit 1987 steht der Park
jedoch unter Naturschutz, weshalb die mediterranen Wälder
mit Pinien, Steineichen und Eichen erhalten werden konnten.
Reiche Tierwelt, u.a. Kaninchen und Wildschweine.

Museen

**MUSEU D'AUTÒMATES
DEL TIBIDABO**
Plaça del Tibidabo, 3-4
→6.3 D1
www.tibidabo.es
Außergewöhnliche
Sammlung von Automaten,
einige stammen aus dem
19. Jh.

Restaurants

LA MASIA
Plaça Tibidabo, s/n
→6.3 C1
T 93 417 63 50
(20-30 €)
Hier setzt man für die
katalanische Küche auf die
neuen Techniken.

LA VENTA
Plaça Doctor Andreu, s/n
→6.3 D3
T 93 212 64 55
(35-45 €) + MENÜ FÜR GRUPPEN
Kleine, aber anregende
Karte hauptsächlich
katalanischer Gerichte, in
einem modernistischen
Gebäude.

L'ORANGERIE
Cta. de Vallvidrera al
Tibidabo, 83-93 **→6.3 D1**
T 93 259 30 00
(+60 €) + MITTAGSMENÜ
Kreative Küche.
Überwältigender Blick
auf Barcelona. Reizvolles
Lokal.

Cafés + Bars

Eine Reihe klassischer Bars
für den beschaulichen
Müßiggang, mit imposantem Blick auf die Stadt.

BAR MIRAMAR
Hotel La Florida →6.3 D1
Modern und erholsam,
auf der Terrasse am Hotel-
Pool.

DANZATORIA
Av. Tibidabo, 61 →6.3 D2
In einem Wohnhaus des
19. Jh.: zwei Stockwerke
mit unterschiedlichem
Ambiente und herrlichem
Garten.

MERBEYÉ
Plaça Doctor Andreu, s/n
→6.3 D3
Das Design von Mariscal ist
fast unverändert erhalten.
Jederzeit ein angenehmer Ort.

MIRABLAU
Plaça Doctor Andreu, 2
→6.3 D3
Theke mit Blick auf die
Stadt. Zwei verschiedene
Ambiente und Terrasse mit
gutem Service.

Außerdem

VALLVIDRERA
Stadtviertel hoch oben in
der Sierra de Collserola.
Erwähnenswert die Kirche
Santa Maria de Vallvidrera
(987), das heutige Gebäude
wurde zwischen 1570 und
1587 im spätgotischen Stil
erbaut.

Außerhalb des Plans:
LES PLANES
Traditioneller Ausflugsort
der Barceloneser, mit
Lokalen und Grillplätzen.
20 Min. von der Pl.
Catalunya mit S-Bahn
(FGC).

**CENTRE
D'INTERPRETACIÓ
DEL PARC DE
COLLSEROLA**
Crta. de l'Església, 92
(Crta. Vallvidrera-Sant
Cugat, km 4,7)
Ausstellung zu Flora und
Fauna im Naturpark.
Ausgangspunkt für die
zahlreichen Spaziergänge
durch den mediterranen
Wald.

Funicular del Tibidabo

Les Planes

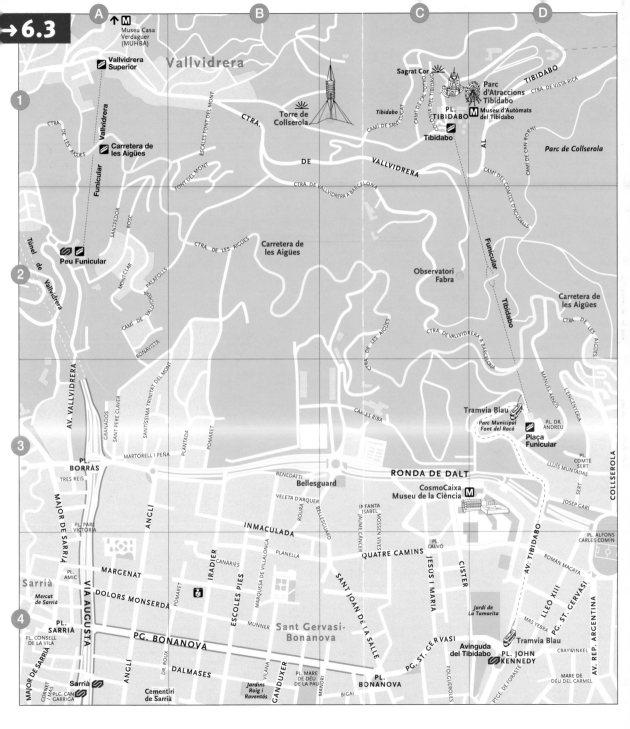

Sehenswertes

→ 6.3 D1
PARC D'ATRACCIONS TIBIDABO
Pl. del Tibidabo, 3-4
T 93 211 79 42
www.tibidabo.es

Großer Vergnügungspark auf einer Kuppe der Sierra de Collserola. 30 verschiedene Attraktionen, u.a. Automaten-Museum, Tower, Airplane; aus der Kindheit der Barceloneser nicht wegzudenken

Tibidabo →6.3 D1

→ 6.3 C1
TORRE DE COMUNICACIONS DE COLLSEROLA
Ctra. Vallvidrera Tibidabo
T 93 406 93 54
www.torredecollserola.com
Mit seinen 288 Metern ist es das höchste Gebäude von Barcelona. Ein Entwurf von Norman Foster, mit dreizehn Stockwerken, vom obersten, der öffentlichen Aussichtsplattform in 560 Meter ü.d. M., bietet sich ein überwältigender Blick.

Torre de Collserola →6.3 C1

→ 6.3 C2
OBSERVATORI FABRA
Ctra. Vallvidrera Tibidabo
www.observatorifabra.com
Von Pinien umgeben liegt am Südosthang der Sierra de Collserola, unterhalb des Tibidabo das Observatorium Fabra. Seit 1904 werden hier Studien zur Astronomie, Meteorologie und Seismik betrieben.

Observatori Fabra →6.3 C2

→ 6.3 B2
CARRETERA DE LES AIGÜES
Der Halbhöhenweg durch den Park von Collserola bietet immer wieder einen eindrucksvollen Blick auf die Stadt und das Meer. Eine einzigartige Aussichtsplattform, ein idealer Ort, der gern von Spaziergängern, Joggern und Radfahrern aufgesucht wird.

Carretera de les Aigües →6.3 B2

Am Hang der Sierra de Collserola

Horta + Guinardó

Zwischen Gràcia und Nou Barris klettert an den Hängen der Sierra de Collserola der Distrikt Horta-Guinardó empor. Elf Viertel mit ganz verschiedener Persönlichkeit bilden ihn. Hier, wo die Stadt in die Natur übergeht, gibt es viele Grünanlagen. Grün ist der ganze Bereich oberhald der Ringstraße Ronda de Dalt, der in die Sierra übergeht, ein Teil des Gebiets von Vall d'Hebron und des Carmel. Der ganze Distrikt ist hügelig, es ist ein ständiges Auf und Ab. Hier befinden sich große Krankenhäuser und Sportanlagen, es gibt aber auch Zonen, in denen es noch geruhsam zugeht, wie im alten Kern von Horta.

Absolutes Muss

→ 7 D1 ## PARC DEL LABERINT D'HORTA
Germans Desvalls, s/n | T 93 428 25 00
Der Park im neoklassischen Stil mit romantischem Flair befindet sich am Fuß der Sierra de Collserola. Es gibt Brunnen, Teiche, Kanäle und neben verschiedenen Bauwerken und Skulpturen findet man in der Stadt selten vorkommende Pflanzen. Der wichtigste Teil ist ein Labyrinth mit verwirrenden Umläufen aus Zypressenhecken. Ursprünglich ein Adelssitz, seit 1971 ein öffentlicher Park.

→ 7 C2 ## PAVELLÓ DE LA REPÚBLICA
Cardenal Vidal i Barraquer, s/n | www.ub.es/cehi/elpavel.php
1937, mitten im Spanischen Bürgerkrieg, weihte Spanien seinen Pavillon auf der Weltausstellung in Paris ein: ein avantgardistisches Gebäude der Architekten Josep Lluís Sert und Luis Lacasa, in dem neben Werken von Joan Miró, Julio González, Alberto Sánchez oder Alexander Calder das Guernica von Pablo Picasso vorgestellt wurde. Seit 1992 gibt es eine getreue Replik in Horta, Sitz des Centre d'Estudis Històrics Internacionals.

→ 7 A3 ## PARC DE LA CREUETA DEL COLL
Pg. Mare de Déu del Coll, s/n
Im früheren Steinbruch vom Coll befindet sich der Parc de la Creueta del Coll, mit Einrichtungen für jedes Alter. Erwähnenswert ist ein großer Teich, über dem die monumentale Skulptur "Lob des Wassers" von Eduardo Chillida hängt: das 54 Tonnen schwere Monument hängt an vier dicken Stahlseilen, die an den Mythos des Narciss erinnern.

Museen
MUSEU DE CARRUATGES DEL FOMENT
Pl. Josep Pallach, 8 →7 C
Kutschen und Arbeits- und Transportwagen, Reitkleidung und sonstiges Zubehör aus dem 19. und 20. Jh.

Restaurants
CAN CORTADA
Av. Estatut de Catalunya, s/n →7 D2
T 93 427 23 15
(30-40 €) + MENÜ FÜR GRUPPEN
Mediterrane und traditionelle katalanische Küche in einem Landhaus aus dem 11. Jh. mit schönem Garten.

CAN TRAVI NOU
Jorge Manrique, s/n →7 C2
T 93 428 04 34
(40-50 €) + MENÜ FÜR GRUPPEN
Katalanische Küche und Gerichte der Saison in reizvoller Umgebung des ländlichen Horta.

ELS MISTOS
Juan de Mena, 1-3 →7 C2

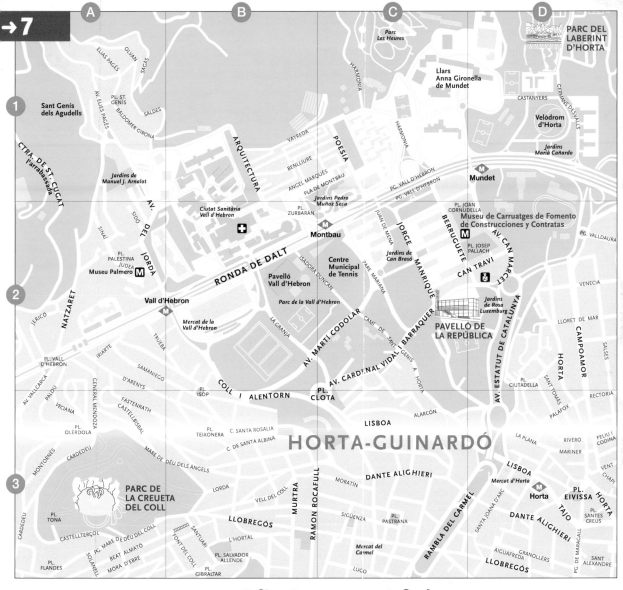

T 93 428 21 37
(25-40 €)
Ausgezeichnetes, einfaches Essen mit galicischen Produkten.

Nicht auf dem Plan:
ADDENDA
Pg. Maragall, 176
T 93 506 44 90
(25-35 €) + MITTAGSMENÜ

Traditionelle katalanische und spanische Küche mit französischen Anklängen.
LA BOTA DEL RACÓ
Mare de Déu de Montserrat, 232
T 93 456 60 01
(30-40 €)
Typisch katalanische Küche, große Portionen.

Cafés + Bars
BAR QUIMET
Pl. Eivissa, 10 →7 D3
Ein Klassiker des Viertels. Mehr als 20 verschiedene Tortillas, gute Tapas.
EL PATIO ANDALUZ
Fastenrath, 14 →7 B3
Sehenswürdiger Ort mit Folklore aus Andalusien.

Außerdem
JARDÍ DEL PALAU DE LES HEURES
→7 C1
Historischer Garten von 1893 mit drei nach Süden blickenden Terrassen. Auf der ersten steht der imposante Palau de les Heures in französischem Stil.

SAFAREIGS D'HORTA
Aiguafreda, s/n →7 D3
Selbst vielen Barcelonesern ist dieser Ort unbekannt: die Häuser mit Garten und Waschplatz erinnern an den ländlichen Ursprung der Zone, als die Wäsche der reichen Bürger der Stadt hier gewaschen wurde.

Parc del Laberint d'Horta →7 D1

Pavelló de la República →7 C2

Parc de la Creueta del Coll →7 A3

Das Tor zu Barcelona

Sant Andreu + Nou Barris

Sant Andreu hat eine tausendjährige Geschichte, es ist das traditionelle Tor zu Barcelona, ein Distrikt mit industrieller Tradition. Heute vollzieht sich hier ein Wandel aufgrund des Trassenausbaus für den Hochgeschwindigkeitszug, der am Bahnhof Sagrera einen seiner zwei Stops in der Stadt macht. Durch die beachtlichen Bauarbeiten wird Sant Andreu umgestaltet und ein neues Zentrum bekommen. Jenseits der Avinguda Meridiana, der Grenze von Sant Andreu, dehnt sich der Distrikt Nou Barris zu den Ausläufern der Sierra de Collserola aus. Es ist der Distrikt mit den meisten Vierteln – zurzeit schon dreizehn –, und einer der jüngsten, der durch die Zuwanderer, vor allem ab der Mitte des 20. Jh., geprägt wurde.

Absolutes Muss

→ 8 A1 PARC CENTRAL DE NOU BARRIS
Pl. de Karl Marx, s/n
Mit seinen 16 Hektar ist der Parc Central de Nou Barris nach dem Parc de la Ciutadella der zweitgrößte von Barcelona. Es gibt ihn erst seit kurzem, denn mit dem Bau wurde am Ende des 20. Jh. begonnen. Hier befinden sich Einrichtungen des Viertels wie die Bibliothek, und bedeutsam ist der Umgang mit Wasser und Vegetation. Es gibt zwei Seen, einen mit einem Wasserfall, und verschiedene Rundwege, außerdem 1.500 Bäume 30 verschiedener Arten, u.a. Trauerweiden, Pappeln, Palmen, Steineichen, Akazien.

→ 8 C2 CASA BLOC
Pg. de Torras i Bages, 91-105
Die Casa Bloc ist ein symbolträchtiges Gebäude, das den Rationalismus bewusst umsetzte: es ist das erste große Projekt von Arbeiterwohnungen in Spanien, die 200 zweistöckigen Privatwohnungen hatten eine Gemeinschaftsgrünanlage. Der Z-förmige Block wurde 1932 von den Architekten des GATCPAC – Sert, Torres Clavé, Subirana – entworfen und wurde zu einem Vorbild fortschrittlicher Bauweise. In der Nachkriegszeit wurde er völlig vernachlässigt, nach einer Rundum-Sanierung hat er das ursprüngliche Aussehen zurückgewonnen.

→ 8 C3 FABRA I COATS
Ferran Junoy, 10
Das Zentrum Fabra i Coats ist das ehrgeizigste Projekt der städtischen Politik, ehemalige Fabriken zu Kulturzentren umzustalten. Erziehung und schöpferisches Schaffen im Bereich von Kunst und Musik, Theater und Tanz oder den audiovisuellen Medien wird im kommenden Jahrzehnt die industriellen Prozesse ablösen, die in dieser Fabrik vom Ende des 19. bis Mitte des 20. Jh. stattfanden.

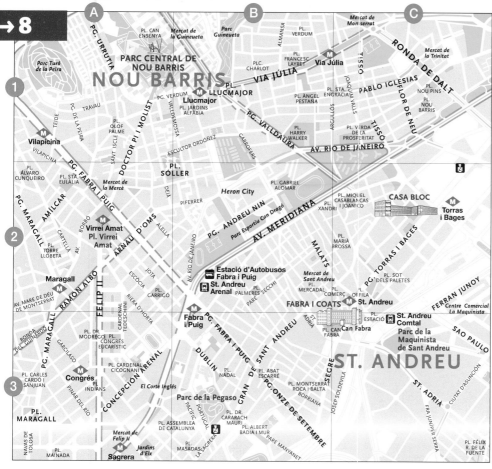

Plaça Virrei Amat →8 A2

Plaça Mercadal →8 B2

Parc de la Pegaso →8 B3

Restaurants

CAL TRAGINER
Borriana, 69 →8 B3
T 93 346 48 53
(20-30 €)
Traditionelle
Hausmannskost. Fleisch
vom Grill und gute Tapas
als Vorspeise.

HERMANOS TOMÁS
Pare Pérez del Pulgar, 1 →8 B1
T 93 345 71 48
(45-60 €)
Traditionelle katalanische
und galicische Küche.

LA PARADETA
Pacífic, 74 →8 B3
T 93 346 48 53
(20-30 €)
Meeresfrüchte und Fisch
werden am Eingang gekauft

und dann zubereitet.

L'ESPURNA
Pare Secchi, 21 →8 B2
T 93 311 64 07
(15-25 €) + MITTAGSMENÜ
Grillrestaurant und Pizzería
mit familiärem Ambiente.

MARISQUERIA DOPAZO
Borriana, 90 →8 B3
T 93 311 47 51
(35-50 €)
Seit 40 Jahren gibt es hier
galicische Meeresfrüchte.

RABASSEDA 34
Pl. Mercadal, 1 →8 B2
T 93 345 10 17
(25-35 €)
Saisongerichte.
Stammkunden sind die
Leute aus dem Viertel.
Terrasse.

TAVERNA CAN ROCA
Gran de Sant Andreu, 209
→8 B2. T 93 346 57 01
(20-30 €) + MITTAGSMENÜ
Ausgezeichnete Eintöpfe
und Geschmortes.

TXAPELDUN
Pg. Fabra i Puig, 159
→8 A2. T 93 352 91 01
(20-30 €) + MITTAGSMENÜ
Baskische Küche. Tapas
und gute Fischgerichte.

Cafés + Bars

COLOMBIA
Pg. Fabra i Puig, 1 →8 B3
Bar mit Fair Trade-
Produkten.

LA ESQUINICA
Fabra i Puig, 296 →8 A1
Regionale Tapas. Schlange

stehen gehört dazu, aber
schnelle Bedienung.

Geschäfte

Eine enorme Einkaufsstraße
verläuft von der Plaça
Mercadal über die Carrer
Gran de Sant Andreu
und den Passeig Fabra
i Puig (→8 B2B3).
Neben einer Markthalle
befinden sich hier jede
Art von Geschäften für
Mode, Kultur, Freizeit,
Lebensmittel, etc.

**Kaufhäuser,
Einkaufszentren:**
EL CORTE INGLÉS,
HERON CITY,
LA MAQUINISTA → S. 56

Außerdem

**PARC DE LA
MAQUINISTA**
→8 C3
Ein neuer Park (von 2000),
in dem sich das Museu
Històric de la Maquinista
(des ehemaligen
Eisenbahnwerks) befindet.

PARC DE LA PEGASO
→8 B3
Mit Kinderspielplatz und
See mit Ruderbooten.

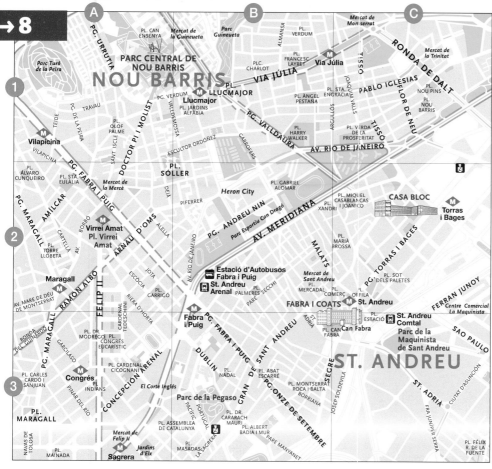

Parc Central de Nou Barris →8A1

Casa Bloc →8C2

Die ehemalige Fabrik Fabra i Coats →8C3

Praktische Hinweise

Anreise

Barcelona ist sehr gut über alle Verkehrsmittel an Spanien und Europa angebunden. Interkontinental-Flüge nach Amerika und Asien.

Per Flugzeug

Die meisten Flugzeuge landen auf dem Flughafen **Aeroport del Prat-Barcelona,** 12 km vom Stadtzentrum entfernt. Verbindungen: Aerobus, alle 15 Min, 6–24 h (Tel. 93 415 60 20 /Fahrtdauer 30–40 Min); Bahn, alle 30 Min, von 6.13–23.40 h (Tel. 902 240 202 / Dauer 35 Min.); Taxi (Dauer 30 Min.). Einige Billigfluggesellschaften fliegen den Aeroport de Girona an (Tel. 972 186 600; www.aena.es), 80 km entfernt. Verbindung: Shuttlebus (Tel. 902 361 550; www.sagales.com / Dauer 70 Min.) und Zug von Girona aus (Dauer 75 Min.); außerdem Aeroport de Reus (Tel. 977 779 800; www.aena.es), 80 km entfernt.

Verbindung: Bus Hispano Igualadina (T 938 044 451)

Per Bahn

Züge zu den meisten Städten in Spanien und Europa fahren vom Bahnhof **Barcelona-Sants** ab. Betreiber: staatliche Bahngesellschaft RENFE (Tel. 902 240 202; www.renfe.es). Hochgeschwindigkeitszug Barcelona-Madrid-Sevilla, mit Halt in Tarragona, Lleida und Zaragoza.

Per Autobus

Der zentrale Busbahnhof für Fernbusse ist am **Estació del Nord** (T 902 260 606; www.barcelonanord.com), gleichwohl gehen viele internationale Verbindungen vom Estació de Sants ab. Einige wichtige Gesellschaften: Eurolines (Tel. 902 40 50 40; www.eurolines.es), Alsa Internacional (Tel. 902 422 242; www.alsa.es) und Linebús (T 93 265 07 00).

Per Schiff

Reguläre Schiffslinien mit Verbindungen zu den Balearen: Acciona-Transmediterránea (Tel. 902 454 645; www.transmediterranea.es), Balearia (www.balearia.com), Iscomar (www.iscomar.com); nach Italien: Grimaldi-lines, Grandi Navi Veloci, Condemar; sowie Algier, Tánger und Orán (Condemar und Canam). Barcelona ist mit 2,5 Millionen Passagieren außerdem zum führenden Kreuzfahrthafen geworden.

Sprache

Barcelona ist eine zweisprachige Stadt, es wird Katalanisch und Spanisch gesprochen.

Katalanisch

Das Katalanische ist die Sprache Barcelonas wie die des restlichen Katalonien, der Balearen, von Valencia (wo es Valencianisch genannt wird) und von Andorra. Insgesamt 8 Millionen Menschen sprechen die

Aena Aeropuerto de Barcelona

Mehr als 32 Millionen Passagiere wurden 2008 am Flughafen von Barcelona abgefertigt. Mit der Inbetriebnahme des neuen Terminals im Sommer 2009 kann das Passagieraufkommen fast verdoppelt werden; die Serviceeinrichtugen wurden verbessert: 100 Gates, 28 Sicherheitskontrollen, 165 Check-in-Schalter und ein Langzeitparkhaus stehen zur Verfügung. Außerdem gibt es im neuen Terminal auf 25.000 m² Fläche ein vielfältiges Shopping- und Gastronomieangebot, durch das der Flughafen für Führungskräfte und Manager, die Barcelona besuchen, zu einem neuen Business-Center wird.

Flughafen, Mosaik von Joan Miró und Llorenç Artigas

Sprache, und sie wird gewöhnlich im öffentlichen Leben verwendet, so auf Wegweisern, Plakaten, Inschriften, Speisekarten, etc.

Spanisch

Das Spanische ist ebenfalls offizielle Sprache und alle Katalanischsprachigen beherrschen es.

Andere Sprachen

Viele Einwohner Barcelonas verstehen Englisch und Französisch. In vielen Restaurants sind die Speisekarten mehrsprachig. Die Angaben in den öffentlichen Verkehrsmitteln sind auch auf Englisch.

Banken und Zahlungsmittel

Wie in anderen 15 Ländern der Europäischen Union ist die Währung der Euro (€).

Banken und Sparkassen

Die Öffnungszeiten sind Mo–Fr, 8.30–14 h. Außer von Juni bis September öffnen die Banken auch am Samstag von 8–14 h und die Sparkassen donnerstags von 16–20 h. Am Flughafen und im Bahnhof Barcelona-Sants gibt es Bankfilialen, die täglich von 8–22 h geöffnet haben. Das Netz von Bankautomaten gehört zu den umfassendsten

der Welt. Bargeld kann dort mit den Kreditkarten Visa, MasterCard und AmericanExpress abgehoben werden.

Geldwechsel

In den Banken und Sparkassen kann Geld gewechselt werden, außerdem in den Wechselstuben. Die Provisionen sind nicht immer gleich hoch.

Kreditkarten und Reiseschecks

Die Kreditkarten Visa und MasterCard werden überall, außer in einigen kleinen Geschäften und Restaurants akzeptiert; American Express in den meisten Hotels; Diner's Card in 50% der Restaurants. Reiseschecks können in jeder Bankfiliale oder in den Wechselstuben eingelöst werden.

Essen und Trinken

In Barcelona (wie im übrigen Katalonien und Spanien) wird später als im restlichen Europa gegessen. Mittagessen zwischen 14 und 15 h, Abendessen gegen 21 h.

Restaurants

Normalerweise sind sie zwischen 13–16 h und 20–23 h geöffnet, viele haben aber auch durchgehend geöffnet und einige bieten Essen bis 2 h früh.

Gewöhnlich gibt es einen Ruhetag in der Woche und einige schließen im August.

Cafeterien und Bars

Normalerweise öffnen sie gegen 7.30 h und schließen um 2 h. Zu trinken gibt es danach immer noch etwas in Musikkneipen und Diskotheken, in einigen gibt es sogar auch etwas zu essen.

Shopping

Im letzten Jahrzehnt wurde Barcelona zu einem Shopping-Paradies innerhalb Europas (s. Seite 56). Die Geschäfte sind normalerweise Mo–Sa von 10–14 h und 16–21 h geöffnet; im Stadtzentrum schließen jedoch nur wenige Geschäfte über Mittag. Die Kaufhäuser und Einkaufszentren sind Mo–Sa von 10–22 h geöffnet.

Es gibt auch Läden, die an 365 Tagen im Jahr geöffnet haben, von 8–2 h, und dort kann man alles Mögliche kaufen: Lebensmittel, Getränke, Schallplatten, Bücher, Geschenkartikel, Mode, Reinigungsmittel, Kosmetika, Blumen, etc. Im Zentrum findet man sie in Ronda Sant Pere, 33; Ronda Sant Pau, 34 und Gran de Gràcia, 29.

Kreuzfahrtschiff

Restaurant am Passeig Maritim

Rabatte

Zweimal im Jahr ist Schlussverkauf: im Sommer, vom 1. Juli bis Ende August, und im Winter vom 7. Januar bis Ende Februar.

Fira del Bellcaire

In Barcelona gibt es auch einen traditionsreichen Flohmarkt, der als Els Encants Vells bekannt ist. Er geht auf das 14. Jh. zurück, der derzeitige Standort auf das Jahr 1928, und er umfasst 15.000 m² Fläche. Er befindet sich an der Pl. de les Glòries Catalanes, 8. www.encants-Barcelona.com

Feiertage

Außer an Sonntagen sind die Geschäfte und Banken am 1. und 6. Januar, Karfreitag, Ostermontag, am 1. Mai, 24. Juni, 15. August, 11. und 24. September, 12. Oktober, 1. November, 6., 8., 25. und 26. Dezember geschlossen. (www.gencat.cat)

Klima

Barcelona erfreut sich eines privilegierten mediterranen Klimas, mit milden Wintern und feucht-heißen Sommern. Die Durchschnittstemperatur im Winter beträgt 12°C bei wenigen Regentagen. Im Sommer steigt das Thermometer gelegentlich auf 30°C, und es gibt Sommergewitter. Frühling und Herbst (21°C durchschnittlich) sind die besten Jahreszeiten für einen Besuch der Stadt, auch wenn es dann öfters regnet.

Feste

In Barcelona werden neben Weihnachten, Neujahr und Dreikönigstag andere, typisch mediterrane Feste voller Lebensfreude gefeiert. Im Winter der Karneval mit einem großen Umzug durch die Stadt. Im Frühling Sant Jordi, das in der Welt einzigartige Fest , das dem Buch und der Rose gewidmet ist. Im Sommer Sant Joan, mit den Johannisfeuern und Feuerwerk; dann der 11. September (Nationalfeiertag von Katalonien) und die Mercè, das Fest der Schutzheiligen von Barcelona, mit verschiedensten kulturellen und volkstümlichen Veranstaltungen und Avantgard-Festivals. In vielen Stadtteilen (wie Gràcia, Sants, Ciutat Vella) werden außerdem Stadtteilfeste gefeiert (www.Barcelona.cat/festes).

Volkskultur

Versäumen Sie nicht, die traditionelle Volkskultur kennen zu lernen, wie den Volkstanz **sardana** (www.fed.sardanista.cat), die **castells** (Menschenpyramiden; www.castellersdebarcelona.cat) oder die **diables** (einen Umzug feuerspeiender Teufel; www.diables.cat).

Strände

Barcelona liegt direkt am Meer und verfügt über einen mehr als 4,5 km langen, mit der "Blauen Flagge" ausgezeichneten Strand (d.h. den Standards der EU für Wasserqualität, Sicherheits- und Service-Aspekte und Umweltverordnungen). Das milde Klima erlaubt es, ihn das ganze Jahr zu nutzen, wenngleich die offizielle Badesaison vom 15. März bis 12. Oktober dauert (dann sind alle Serviceeinrichtungen inkl. des Services für Behinderte oder die kostenlose Ausleihe von Zeitungen, Büchern, Sportmaterial und Spielzeug für Kinder) in Betrieb. Auch ein Nacktbadestrand ist vorhanden.
www.bcn.cat/platges; www.beachbarcelona.com

Bergregion

Zwar ist die Bergregion

Encants Vells

Castells

von Barcelona mit dem Naturpark Collserola und dem Berg Tibidabo nicht so bekannt wie die Strände, aber sie ist die traditionelle Zone, wo sich die Barceloneser vom täglichen Trubel erholen. Hier kann man inmitten der Natur auf der Carretera de les Aigües, dem schönsten Aussichtspunkt der Stadt, spazierengehen, in einem der Ausflugslokale in Les Planes essen (von der Pl. Catalunya in 20 Min. mit den Linien S1, S2 und S5 der FGC zu erreichen: www.fgc.cat) oder die zahlreichen Wege zu Fuß, per Rad oder mit dem Pferd erkunden (www.parccollserola.net).

Gays

Barcelona, eine weltoffene und tolerante Stadt, gehört zu den Top Ten der schwulen- und lesbenfreundlichen Städte weltweit. Die charakteristischste Zone ist Gayxample, ein durch die Straßen Gran Via, Aragó, Aribau und Villarroel begrenztes Gebiet (www.gaybarcelona.net). In einer Broschüre hat Turisme de Barcelona alles Wissenswerte zusammengefasst.

Sicherheit und Gesundheitd

Wie in allen Großstädten sollte man an bestimmten Orten (Verkehrsmittel, etc.) oder in bestimmten Situationen ganz besonders aufmerksam mit persönlichen Gegenständen umgehen. Für Notrufe gilt die europaweite Rufnummer 112. In Barcelona operieren die Notrufzentren auf Katalanisch, Spanisch, Englisch und Französisch, ein Übersetzungsdienst für andere Sprachen existiert. Über diese Nummer können Polizei, Feuerwehr und Krankenwagen kontaktiert werden.

Polizei

Über die Rufnummer 088 ist die Polizei von Katalonien (Mossos d'Esquadra) zu erreichen, über die 091 die Nationale Polizei und über die 092 die lokale Polizei (Guàrdia Urbana). An der Rambla, 43 (Tel. 93 256 24 30) befindet sich ein rund um die Uhr geöffnetes Zentrum der Touristenpolizei, wo Besuchern, die Opfer einer Straftat oder eines Unfalls geworden sind, geholfen wird.

Krankenhäuser

In Barcelona gibt es viele Krankenhäuser, einige sind international bekannt. Hier die wichtigsten, jeweils mit Notaufnahme: Hospital de Sant Pau (Sant Antoni M. Claret, 167. Tel. 93 291 90 00), Hospital Clínic (Villarroel, 170. Tel. 93 227 54 00), Hospital Dos de Maig (Dos de Maig, 301. Tel. 93 507 27 00), Hospital de la Vall d'Hebron (Passeig de la Vall d'Hebron, 119-129. Tel. 93 489 30 00) und Hospital del Mar (Passeig Marítim, 25-29. Tel. 93 248 30 00).

Krankenwagen

Über den Notruf 061 können Krankenwagen gerufen werden.

Apotheken

Medikamente sind in Barcelona nur in Apotheken erhältlich, wo Sie vom Fachpersonal bedient werden. Dort erhalten Sie auch homöopathische Mittel. Sie sind durch ein grünes beleuchtetes Kreuz gekennzeichnet und die Öffnungszeiten sind normalerweise von 9–14 h und 16–20 h. In allen Stadtteilen gibt es Apotheken mit Notdienst (neben der Tür der Apotheke sind sie auf einer Liste aufgeführt). Immer mehr Apotheken, vor allem im Stadtzentrum, haben aber rund um die Uhr geöffnet.

Carretera de les Aigües

Strand in der Vila Olímpica

Geschichte

Die frühesten Bewohner

Auch wenn die ältesten Spuren menschlicher Besiedelung in der Ebene um Barcelona auf das Neolythikum (5.000 v.Chr.) zurückgehen, wurde die Stadt, die vermutlich den Namen Barkeno hatte, von dem zu den Iberern gehörenden Stamm der Layetana gegründet (6. Jh. v. Chr.).

Barcino

Gegen das Jahr 10 v. Chr. und unter dem Schutz von Kaiser Augustus wurde die Kolonie Iulia Augusta Paterna Faventia Barcino gegründet, die in Dokumenten aus dem 2. Jh. (Plinius und Ptolemäus) als ein angenehmer Ort, mit fruchtbarem Land und einem einladenden Hafen beschrieben wird. Die Stadt wurde in der klassischen Form einer von Mauern umgebenen Kolonie errichtet, mit vier Toren, von wo der Decumanus (die heutigen Straßen del Bisbe und de la Ciutat) und der Cardo (carrer del Call und Llibreteria) ausgingen, die sich im Zentrum, dem Forum, kreuzten (Plaça de Sant Jaume).

Spätrömische Zeit

Zwischen dem 2. u. 4. Jh. erlebte die Stadt eine Blütezeit und seine Produkte (Wein und garum) wurden im ganzen Reich verkauft. Vom Ende dieser Epoche stammt die zweite Mauer (die wir heute noch besichtigen können), und es gab eine bedeutende christliche Gemeinde, deren Bischöfe die tatsächlichen Verteidiger der römischen Zivilisation waren.

Die Westgoten

415 ließ sich der Westgotenkönig Ataúlfo in der Stadt nieder. Mit dem Ende des Römischen Reiches (476) fiel Barcino zuerst unter die Herrschaft des Westgotischen Reiches von Toulouse, später unter die Königreiche der Halbinsel.

Unter maurischer und karolingischer Herrschaft

717 fiel die Stadt unter maurische Herrschaft, behielt jedoch die bisherigen zivilen und kirchlichen Behörden. Kaiser Karl der Große unterstellte sie 797 seinem Reich, und Ludwig der Fromme eroberte sie 801 und gründete die Grafschaft Barcelona als Teil der „Marca Hispànica".

Die Stadt der Grafen

Die Grafen von Barcelona entzogen sich immer mehr dem fränkischen Einfluss, und als sie 985 von den Mauren unter Almanzor angegriffen wurden, ohne dass der König intervenierte, erneuerte Graf Borrell II. seinen Treueeid nicht, was als der Beginn der Unabhängigkeit jenes Gebiets gilt, das sich später Katalonien nannte. 1137 heiratete Ramon Berenguer IV. Petronila von Aragón und deren Sohn, Alfons II., wurde der erste König von Aragón und Graf von Barcelona. Beide Gebiete behielten ihren Hof, ihre Sprache und eigene Rechte.

Aufstieg im Mittelalter

Jaume I. der Eroberer (1208–1276) eroberte Mallorca, Menorca,

El Call

Museu d'Arqueologia de Catalunya

Barcino. Joan Brossa

Valencia und Murcia von den Mauren zurück. Damit begann eine Epoche, in der Barcelona zur größten Seemacht Europas im Mittelalter wurde. Das Gotische Viertel ist Zeuge dieser Blütezeit.

Consell de Cent
Jaume I. schuf die Selbstverwaltungsstrukturen für Barcelona, die 1265 endgültig geregelt waren: 3 Stadträte, die von einem Rat von hundert Persönlichkeiten (Adligen, Kaufleuten, Künstlern und Handwerkern) gewählt wurden. Dies gilt als das erste Parlament Europas.

Generalitat
Die Generalitat von Katalonien hat ihren Ursprung in den Corts Catalanes, die unter der Herrschaft von Jaume I. zusammenkamen und vom König von Aragón als Vertreter der sozialen Schichten der Zeit einberufen wurden.

1714
Der Spanische Erbfolgekrieg spaltete Europa in die Anhänger von Philipp von Anjou (Frankreich und Kastilien) und Erzherzog Karl (England, Österreich, Holland und die Gebiete Aragóns). Der Sieg der Bourbonen führt zum Ende der selbstverwalteten Institutionen Kataloniens und Barcelonas.

Reinaxença
Nach einer Zeit der Dekadenz führte Barcelona Mitte des 19. Jh. dank des wirtschaftlichen Aufschwungs als Folge der industriellen Revolution – der in der Weltausstellung von 1888 seinen Höhepunkt hatte –, eine starke kulturelle Bewegung an, für die Sprache (das Katalanische) und Nationalbewusstsein eins waren. Damit gingen bedeutende politische Forderungen einher, die zur Gründung von Bewegungen führten, die die katalanischen Ursprünge in den Vordergrund stellten.

Modernisme
Diese Regenerierung hatte zur Folge, dass der Modernisme in Barcelona und Katalonien quasi als nationaler Stil angesehen wurde. Sein Vermächtnis sind insbesondere architektonische Werke von großem künstlerischen Wert.

20. Jh.
Barcelona erlebte im 20. Jh. sowohl Epochen des Glanzes wie auch des Niedergangs.

Zweite Republik
Die ersten dreißig Jahre des 20. Jh. waren durch eine revolutionäre politische und kulturelle Aufbruchstimmung gekennzeichnet, die mit dem Bürgerkrieg 1936 zerstört wurde.

Diktatur
Nach dem Sieg der faschistischen Putschisten 1939 erlebte Barcelona, das bis zum Ende des Bürgerkriegs treu zur Republik stand, eine grausame Nachkriegszeit. Ende der 50 er Jahre begann jedoch eine leichte wirtschaftliche und kulturelle Wiederbelebung, und die Stadt nahm in den 70er Jahren eine Führerrolle im Kampf für die Demokratie ein.

Democracia
Nach der Wiedererlangung der bürgerlichen und nationalen Freiheiten begann die Stadt mit der urbanistischen Neugestaltung und der sozialen Kohäsion, mit der ein Modell von universaler Reichweite geschaffen wurde.

Barcelona olímpica
Die Olympischen Spiele von 1992 bedeuteten einen Meilenstein in der zuvor beschriebenen Entwicklung, die sich im 21. Jh. mit der Durchführung des Weltforums der Kulturen und der Ernennung der Stadt als Sitz der Mediterranen Union fortsetzte. www.bcn.cat

Museu d'Història de Barcelona

Barcelona zum Spartarif

Barcelona Card

Die beste Wahl für 2, 3, 4 oder 5 Tage, **Führer** auf Katalanisch/Spanisch/ Englisch oder Französisch/ Italienisch/Deutsch inkl. **freie Fahrt mit öffentlichen Verkehrsmitteln:** U-Bahn und städt. Busse (TMB), Stadtverkehr der FGC, Tram, Zug zum Flughafen und Renfe im Nahverkehr 1 Zone. Etwa **100 descomptes** Museen, Kulturzentren, Varietés, Theater, Freizeiteinrichtungen, Nachtlokale, Geschäfte, Restaurants, besondere Verkehrsmittel und anderen Service. Kostenlose **Fahrt** in den Golondrinas und freier Eintritt in CosmoCaixa, Torre de Collserola, Kolumbussäule und 12 Museen. Verkauf und Information auf www.barcelonaturisme.cat

Verkehrsmittel

Über das gut ausgebaute U-Bahn-Netz (Metro + FGC) sowie mit den städtischen Bussen ist jeder Punkt der Stadt leicht zu erreichen. www.tmb.net + www.fgc.cat

Fahrkarten

Sie gelten für das gesamte städtische Verkehrsnetz und sind in den Metro-Stationen erhältlich, außerdem online. Die günstigsten sind die T-Día (1 Tag – 5,50 €), die T-2 (2 Tage – 10 €), T-3 (3 Tage – 14,30 €), T-4 (4 Tage – 18,30 €) und T-5 (5 Tage – 21,70 €); sie berechtigen zu einer unbegrenzten Zahl von Fahrten für die vorgegebene Zeit.

Barcelona Bus Turístic

Die bequemste Art, die interessantesten Sehenswürdigkeiten der Stadt zu entdecken. Offizieller Service in Zusammenarbeit mit TMB. Preis: 1 Tag 22 € (Kinder 14 €), 2 Tage 28 € (Kinder 18 €). Die drei Routen können mit dem Ticket beliebig oft befahren werden. Eine Broschüre mit Informationen für jede Haltestelle und ein Rabattheft für die wichtigsten Sehenswürdigkeiten ist im Preis inbegriffen. Es gibt auch den **Barcelona Bus Turístic bei Nacht,** Die Route führt zu den bekanntesten Gebäuden der Stadt. In den Sommernächten können Sie sich an der Beleuchtung und den Farben der angestrahlten Bauwerke sowie der Font Màgica vom Montjuïc erfreuen. Fr, Sa, So, Mai bis September.

Metro Walks

Sieben Routen mit U-Bahn, zu Fuß, mit Bus oder Tram, um Barcelona, seine Geschichte, seine Stadtviertel oder die Entwicklung der Stadt von einer ganz persönlichen Seite kennen zu lernen, ganz wie ein Einheimischer. Führer mit Routen, Stadtplan und Verkehrsmittel inbegriffen.

Museen

ArqueoTicket

Ticket für die 7 wichtigsten Museen von Barcelona: Centre de Cultura Contemporània de Barcelona (CCCB); Fundació Antoni Tàpies; Fundació Caixa Catalunya–La Pedrera; Fundació Joan Miró; Museu Nacional d'Art de Catalunya (MNAC); Museu d'Art Contemporani de Barcelona (MACBA) und Picasso–Museum. Gültig für 6 Monate ab Verkaufsdatum, für die ständigen wie temporären Ausstellungen. Preis: 22 €.

ArqueoTicket

Multi-Ticket für fünf Museen mit archäologischen Beständen: Museu d'Arqueologia de Catalunya; Museu Barbier-Mueller d'Art Precolombí de Barcelona; Museu Egipci de Barcelona; Museu d'Història de Ciències und Museu Marítim de Barcelona. Gültig für ein Jahr nach Verkaufsdatum. Preis: 18€.

Ticket Ciència

Ticket für 7 Wissenschaftsmuseen: Museu de Ciències Naturals, CosmoCaixa, Museu Agbar, Jardí Botànic, Museu Marítim, Museu de la Ciència i la Tècnica de Catalunya und den Zoo. Gültig für ein Jahr nach Verkaufsdatum. Preis: 18,50 €. Diese drei Tickets können in den Museen, touristischen Informationsbüros und online gekauft werden: www.barcelonaturisme.cat In vielen Museen ist der Eintritt am ersten Sonntag des Monats frei.

Andere

Montjuïc Card

Einen Tag lang den Montjuïc erleben (Museen, Schwimmbäder, Seilbahn, Fahrrad-Ausleihe u.a.). Preis: 20 € (10 € für Kinder). www.bcn.cat/ sants-montjuic.

Jugendliche + Studenten

Mit dem internationalen Studentenausweis (ISIC: www.isic.org) oder Euro26 (www.euro26. org) gibt es Ermäßigungen bei den wichtigsten Sehenswürdigkeiten.

Senioren

Personen über 65 Jahre erhalten in vielen Einrichtungen eine Ermäßigung.

Andere Angebote

www.barcelonaturisme.cat

Messen und Kongresse

Messen und Kongresse

Dank seiner geografischen Lage, der ökonomischen und kulturellen Dynamik und Qualität seiner Dienstleistungen und Infrastrukturen wurde Barcelona zur wichtigsten Stadt in Südeuropa bei internationalen Kongressen. Zu nennen sind das CCIB, das Internationale Kongress-Center von Barcelona, das 2008 den M&IT-Award in Silber erhielt (Auditorium: 3.155 Plätze, www.ccib.es) sowie der Kongresspalast von Katalonien (Auditorium: 2.000 Plätze, www.pcongresos.com) und der Kongresspalast von Barcelona (Auditorium: 1.650 Plätze, www. firaBarcelona.es). Die Messe Barcelona verfügt über das größte Messegelände Spaniens und ist auch eine der wichtigsten in Europa. Jährlich finden 80 verschiedene Messen mit 40.000 Ausstellern und 4 Millionen Besuchern statt, 15 der Messen sind europaweit Bezugspunkt. Zu nennen sind **Construmat** (drittgrößte in Europa); **Alimentaria** (zweitgrößte weltweit); **Mobile World Congress** (das bedeutendste Event im Bereich des Mobilfunks); **EIBTM** (die wichtigste Messe für Tagungen, Incentives, Events, Geschäftsreisen und Kongresse); oder **The Brandery. Post Fashion Circus, 080 Barcelona Fashion** (die größte Messe Europas für Mode und Accessoires).

Festivals

Im Laufe des Jahres finden in Barcelona Hunderte von Kunst-, Musik-, Theater-, Tanz-, Film-, audiovisuelle Festivals statt.

Festival Grec
Seit 30 Jahren wird von Juni bis August Klassisches und Ausgefallenes im Bereich Theater, Tanz, Musik und Zirkus präsentiert. www.barcelonafestival.com

Sónar
Das renommierteste Festival für elektronische Musik und Multimedia-Kunst. www.sonar.es

Primavera Sound
Das beste und innovativste Musik-Festival für Indie, Folk, Pop und Rock. www.primaverasound.com

BAM
Während des Stadtfestes La Mercé finden an verschiedenen Orten in Barcelona kostenlose Konzerte mit nationalen und internationalen Musikern statt. www.bcn.cat/bam

Andere Musik-Festivals

Festival Internacional de Jazz
www.theproject.es

Festival de Flamenco
www.flamencociutatvella.com

Festival Internacional de Percusión
www.auditori.org

Festival de Guitarra de Barcelona
www.theproject.es

Festival de Música Antigua
www.auditori.org

Hipnotik
www.hipnotikfestival.com

Weekend Dance
www.weekendance.es

Mas i Mas Festival
www.masimas.com/festival

Festival Sónar

Barcelona Shopping Line

Wenn Sie gern shoppen, dann wird Ihnen Barcelona gefallen. Durch die Stadt zieht sich die berühmte **Barcelona Shopping Line**, eine 5 km lange Einkaufsmeile mit 35.000 Geschäften, wo man alles Erdenkliche kaufen kann. Die Meile führt von der Altstadt über die Plaça Catalunya, den Passeig de Gràcia bis hinauf zur Avinguda Diagonal. Ein Großteil sind Fußgängerzonen, so dass man, ohne durch den Verkehr gestört zu werden, von Geschäft zu Geschäft gehen kann. Gleichzeitig kann man einige der interessantesten und bekanntesten Sehenswürdigkeiten der Stadt bestaunen. An der Barcelona Shopping Line befinden sich ausgewählte Geschäfte, u.a. so namhafte wie Versace, Armani, Burberry, Bally, Cartier, Calvin Klein, Armad Basi, Antonio Miró, Custo, Mango, Furest oder Adolfo Domínguez, um nur einige wenige zu nennen (www.barcelonaturisme.cat/bsl)

Einkaufszentren und Kaufhäuser

Im Führer finden Sie für jede Zone einige besonders nennenswerte Geschäfte. Hier nennen wir die großen Einkaufszentren mit Restaurants, Freizeitangebot und Geschäften für Mode, Accessoires, Schuhe, Wohndekor, Schmuck, Sportartikel, Spielzeug, Parfümerie, Computer + Zubehör, Telefon, Souvenirs, etc.

1. El Corte Inglés
Pl. de Catalunya, 14
Av. Portal de l'Àngel, 19
Av. Diagonal, 617
Av. Diagonal, 471-473
Passeig Andreu Nin, 51
www.elcorteingles.es
Seit 1935 – zweifelsohne der Inbegriff des spanischen Kaufhauses.
2. Pedralbes Centre
Av. Diagonal, 609-615
www.pedralbescentre.com
3. L'Illa Diagonal
Av. Diagonal, 545- 565
www.lilla.com
4. Bulevard Rosa
Pg. de Gràcia, 53
www.bulevardrosa.com
5. El Triangle
Pl. de Catalunya, 1-4
www.eltriangle.es
6. Maremagnum
Moll d'Espanya, 5
www.maremagnum.es
7. Poble Espanyol
Av. del Marquès de Comillas, s/n
www.poble-espanyol.com
8. Barcelona Glòries
Av. Diagonal, 208
www.lesglories.com

9. Diagonal Mar
www.diagonalmarcentre.es
10. Heron City
Av. Río de Janeiro, 42
www.heroncitybarcelona.com
11. La Maquinista
Pg. de Potosí, 2
www.lamaquinista.com
12. La Roca Village
Ausfahrt 12 (Cardedeu) auf der Autobahn AP7
www.larocavillage.com
Bekannte nationale und internationale Modefirmen, Preisnachlass bis zu 60%, wie eine kleine Stadt erbaut.

Einkaufsstraßen

In verschiedenen Distrikten von Barcelona wurden von den Verbänden der Einzelhändler besonders dynamische und kundenfreundliche Zonen geschaffen. Bisher gibt es 16, z.B. die Einkaufsmeile Sants – Creu Coberta (die als längste Einkaufsstraße Europas gilt), die in Sant Andreu, Gran de Gràcia oder Cor d'Horta.
www.eixosbcn.net

Tax-free

Reisende aus Ländern außerhalb der EU sind zur Rückerstattung der MWSt (16%) bei Käufen in Barcelona berechtigt, soweit diese einen Gesamtbetrag von 90,15€ übersteigen (ausgeschl. Hotel + Restaurants). Achten Sie darauf, dass das Geschäft über Tax-Free-Schecks verfügt. Verlangen Sie einen Scheck in Form einer Tax-Free-Rechnung. Beim Verlassen der EU legen Sie diese Tax-Free-Schecks, zusammen mit den gekauften Artikeln, beim Zoll zum Abstempeln vor. Der Scheck kann auf verschiedene Weise eingelöst werden, je nach der von den gekennzeichneten Geschäften angebotenen Option: in bar (am Flughafen oder der EU-Grenze), auf Ihre Kreditkarte, durch internationalen Scheck oder Banküberweisung (Tax Free Shopping Global Refund: Tel. 900 435 482, www.globalrefund.com; Spain Refund: Tel. 915 237 004, www.spainrefund.com).

Shopping

Schaufenster

Gastronomie

Ein Hochgenuss der katalanischen Kultur ist zweifelsohne die Gastronomie. Durch die hiesigen namhaften Köche ist Barcelona zum Synonym für eine außergewöhnliche, abwechslungsreiche Küche geworden, die durch hohe Qualität besticht. Im Folgenden eine Auswahl der besten Restaurants der Stadt, in denen Sie eine erstklassige Küche entdecken und genießen können. Die Sterne (*), (**), (***) zeigen die Michelin-Sterne für 2009 an.

ÀBAC **
Avinguda Tibidabo, 1
T 93 319 66 00
In den in verschiedenen Weißtönen gehaltenen Räumen bietet Xavier Pellicer seine kreativen, hervorragenden Gerichte an.

ALKÍMIA *
Indústria, 79
T 93 207 61 15
Jordi Vilà ist einer der neuen katalanischen Köche, die mit ihren Neuschöpfungen der traditionellen katalanischen Küche alle überraschen.

CA L'ISIDRE
Flors, 12
T 93 441 11 39
Ein klassisches Restaurant, das weiterhin zu den ganz großen gehört. Saisonale katalanische Küche mit zeitgenössischem Touch.

CINC SENTITS *
Aribau, 58
T 93 323 94 90
Besondere Vision der zeitgenössischen katalanischen Küche mit kreativen Details aus aller Welt.

CAN CABA
Benavent, 16
T 93 339 91 27
Ausgezeichnete galicische Meeresfrüchte und Fisch aus dem Mittelmeer sowie große Auswahl an Zigarren.

CAN PINEDA
Sant Joan de Malta, 55
T 93 308 30 81
Köstliche, saisonale Gerichte in einem kleinen Lokal.

CASA LEOPOLDO
Sant Rafael, 24
T 93 441 30 14
Legendäres Restaurant im Raval, seit 1929. Stammlokal für Künstler und Intellektuelle. Menü 50 €.

COMERÇ 24 *
Comerç, 24
T 93 319 21 02
Carles Abellan, der bei Ferran Adrià arbeitete, hat Tapas und kleine traditionelle Gerichte auf ein nicht zu übertreffendes Niveau der modernen Küche gebracht.

DOS CIELOS
Pere IV, 272-286
T 93 367 20 70
Im Hotel Arts kreiiert der Chef de Cuisine von La Broche, Madrid (2 Michelin-Sterne) wahrlich geniale Gerichte.

DROLMA *
Passeig de Gràcia, 68
T 93 496 77 10
Raffinesse und Luxus im Hotel Majestic. Chefkoch Fermí Puig kreiiert eine Welt kulinarischer Aromen und Gefühle.

EL PASSADÍS D'EN PEP
Pla de Palau, 2
T 93 310 10 21
Eines der besten Fischlokale der Stadt, mit Fisch aus 6 verschiedenen Häfen.

ELS PESCADORS
Plaça Prim, 1
T 93 225 20 18
Rafa Medrán und sein Team verleihen ihren stets frischen Gerichten - traditionellen wie Fischgerichten - eine persönliche Note.

EVO *
Gran Via Corts Catalanes, 154
T 93 413 50 30

In 100 m Höhe, der Koch ist der berühmte Santi Santamaría (El Racó de Can Fabes).

FONDA GAIG
Còrsega, 200
T 93 453 20 20
Carles Gaig hat in seinem neuen Lokal zu den reinen, intensiven Aromen der traditionellen katalanischen Küche zurückgefunden.

FREIXA TRADICIÓ *
Sant Elies, 22
T 93 209 75 59
Ramon Freixa verleiht all seinen Gerichten einen überraschenden kreativen Touch. Das ‚Enfant terrible' unter den Köchen von Barcelona.

GAIG *
Aragó, 214
T 93 429 10 17
Von dem 1869 im Stadtteil Horta gegründeten Gasthaus ist Carles Gaig mit seiner traditionellen Küche ins Zentrum von Barcelona gezogen.

GALAXÓ
Passeig de Gràcia, 132
T 93 255 30 00
Im Jugendstil-Hotel Casa Fuster, mediterrane und avantgardistische Küche mit persönlicher Note.

HOFFMAN *
La Granada del Penedès, 14
T 93 218 71 65
Mey Hofmann kreiiert Gerichte, bei denen Geschmack und Aroma der einzelnen Zutaten herauszuschmecken sind.

LASARTE **
Mallorca, 259
T 93 445 32 42
Seit 2006 geöffnet und schon im Besitz eines Michelin-Sterns. Chefkoch Martín Berasategui besaß bereits drei in seinem Restaurant in Guipúzcoa (Baskenland).

LLUÇANÈS *
Plaça de la Font, s/n

T 93 224 25 25
Kreative Küche mit persönlicher Note von Chefkoch Àngel Pasqual. Seit 2007 in der Markthalle Barceloneta.

MANAIRÓ *
Diputació, 424 **→3.1** D2
T 93 231 00 57
Kreative katalanische Küche mit sehr persönlicher Note.

MOO *
Rosselló, 265
T 93 445 40 00
Die Brüder Roca, die in Girona ein 2-Sterne-Restaurant besitzen, entwickeln hier ihre Vision der katalanischen Haute Cuisine.

NEICHEL *
Beltrán i Rózpide, 1-5
T 93 203 84 08
Jean Louis Neichel, der bei renommierten französischen und deutschen Köchen arbeitete, erhielt 1976 seinen ersten Michelin-Stern.

ROIG RUBÍ
Sèneca, 20
T 93 218 92 22
Mit wunderschöner begrünter Terrasse. Mercè Navarro und ihre Tochter Imma kreiieren familiäre Gerichte nach modernen Kriterien.

SAÜC *
Ptge. Lluís Pellicer, 12
T 93 321 01 89
Ruhig, hell, im minimalistischen Stil. Der junge Koch

Xavi Franco hat die kulinarischen Wurzeln Kataloniens immer vor Augen.

TORRE D'ALTA MAR
Passeig Joan de Borbó, 88
T 93 221 00 07
Ein Lokal mit avantgardistischem Design auf 75 m Höhe ü.d.M., mit exquisiten Gerichten der traditionellen mediterrranen Küche.

VIA VENETO *
Ganduxer, 10
T 93 200 72 44
Kaum zu übertreffender Service. Seit 1967 befriedigt die klassische katalanische Küche durch Gediegenheit und einen innovativen Touch.
Weniger als.

45 Minuten entfernt
EL RACÓ
DE CAN FABES ***
Sant Joan, 6 (Sant Celoni)
T 93 867 28 51

SANT PAU ***
Nou, 10 (Sant Pol de Mar)
T 93 760 06 62

CAN JUBANY *
Ctra. de Sant Hilari, s/n (Calldetenes)
T 93 889 10 23

EL CINGLE *
Pl. Major, s/n (Vacarisses)
T 93 828 02 33

HISPANIA *
Ctra. Reial, 54 (Arenys de Mar)
T 93 791 04 57

L'ANGLE *
Món Sant Benet

(St. Fruitós de Bages)
T 672 208 691

SALA *
Plaça Major, 17 (Olost)
T 93 888 01 06

Route der Markthallen

Die Markthallen von Barcelona sind Lebensräume, die im sozialen Leben der Stadt eine bedeutende Rolle spielen. Bei einem Bummel, einem Gespräch oder Einkauf kann man die Einwohner Barcelonas am besten kennen lernen. Unter den 40 Markthallen ist die Boquería hervorzuheben, die 2006 in Washington zur besten Markthalle der Welt gekürt wurde. Auf www.Barcelona.cat/mercatsmunicipals finden Sie 4 verschiedene Route, unter denen die der **modernistischen Markthallen**, besonders zu erwähnen ist, fünf zwischen 1888 und 1913 errichtete Markthallen, die meisten Backsteinbauten mit Eisenstruktur, die unter Denkmalschutz stehen; sowie die die **Mercats emblemàtics**, zu der u.a. die Märkte Boqueria, Santa Caterina und Barceloneta gehören, die beiden letzteren wurden spektakulär umgestaltet.

Farbe, Geschmack, Aroma

Modernistisches Wappen

Nachtleben und Shows

Theater

Barcelona hat eine lange Theatertradition, insbesondere beim 'independent' und Avantgarde-Theater. Einige Theatergruppen sind weltweit bekannt (**La Fura dels Baus, Comedians** oder **Tricicle**). Andere, wie **Teatre Lliure, La Cubana** oder **Dagoll Dagom**, haben sich in Europa einen Namen gemacht. Es gibt 27 verschiedene Theatersäle (mit 3.000 Plätzen für Musicals bis zu weniger als 100 Plätzen in Kleinkunsttheatern). Zwei Theater sind sehenswert: das öffentliche **Teatre Nacional de Catalunya** (Pl. de les Arts, 1; T 93 306 57 00; www.tnc. cat), inach dem Entwurf des Architekten Ricardo Bofill erbaut und 1996 eingeweiht, hat drei Säle mit 870, 450 bzw. 400 Sitzplätzen, sowie das ebenfalls öffentliche **Ciutat del Teatre** (ein für die Weltausstellung von 1929 erbauter Komplex von Gebäuden im Noucentisme-Stil); dazu gehören das Theater **Mercat de les Flors - Centre de les Arts de Moviment** (Lleida, 59; T 93 426 18 75; www.mercat-flors.org) Letzteres wurde 1985 als Theater eröffnet und ist derzeit ganz dem Tanz gewidmet. Es gibt zwei Säle mit 664 bzw. 80 Sitzplätzen; im 2001 eingeweihten **Teatre Lliure** (Pg. de Santa Madrona, 40-46; T 93 228 97 47; www. teatrelliure.com) gibt es ebenfalls zwei Säle mit 736 bzw. 172 Sitzplätzen.

Musicals

Die Stadt hat vor einigen Jahren das Musical entdeckt, und heute stehen sowohl internationale als auch eigene Produktionen auf dem Programm. Sie sind im **Teatre Musical**, dem Theater **Tivoli** oder **Victoria** u.a. zu sehen.

El Paral·lel

Die Theaterstraße Barcelonas.
S. Seite. 29

Cine

In Barcelona gibt es 33 Kinos mit mehr als 170 Sälen, in denen täglich 80 Filme gezeigt werden. Originalfassungen sind im **Casablanca Kaplan** (P. de Gràcia, 115); **Icaria Yelmo** (Salvador Espriu, 61); **Méliès Cinemes** (Villarroel, 102); **Renoir Floridablanca** (Floridablanca, 135); **Renoir Les Corts** (Eugeni d'Ors, 12); **Verdi** (Verdi, 32) und **Verdi Park** (Torrijos, 49) zu sehen.

Musik
Klassik

Barcelona wartet mit drei Konzerthäusern auf, von

Gran Teatre del Liceu

Teatre Nacional de Catalunya

Konzert World Music

denen zwei auf eine lange Geschichte zurückblicken und Musikliebhaber der ganzen Welt anziehen: das **Gran Teatre del Liceu**, (La Rambla 51-59; T 93 485 99 00; www. liceubarcelona.com), seit dem 19. Jh. eines der großen Opernhäuser, und der **Palau de la Música Catalana** (Palau de la Música,4-6; T 902 442 882; www.palaumusica. cat), ein Meisterwerk des *Modernisme*, das als einer der schönsten Konzertsäle der Welt gilt. Das dritte ist das, **L'Auditori** (Lepant, 150; T 93 247 93 00; www. auditori.org) ein moderner Bau des Architekten Rafael Moneo, Sitz des Orquestra Simfònica de Barcelona i Nacional de Catalunya.

Jazz

Die Jazz-Szene erlebt eine Blütezeit, mit einheimischen sowie bekannten Musikern anderer Städte wie New York und London (www.urbaanjazz.com). Folgende Lokale lohnen einen Besuch: **Jamboree** (Pl. Reial, 17; www.masimas.com/jamboree); **The Jazz Room** (Vallmajor, 33; www.masimas.com/jazzroom); **DosTrece** (Carme, 40; www.dostrece.net); **Harlem Jazz Club** (Comtessa de Sobradiel,

8); **Jazz Sí** (Requesens, 2); **Bel·luna Jazz-Club** (Rambla Catalunya, 5; www.bel-luna.com)

Flamenco

Barcelonas Flamenco-Szene ist vielleicht die dynamischste des Landes. Sie orientiert sich immer an den aktuellen Trends, sei es der ganz klassische oder der avantgardistische Flamenco. **Tablao Cordobés** (La Rambla, 35; www.tablaocordobes. com); **Tarantos** (Pl. Reial, 17; www.masimas.com); **El Tablao de Carmen** (Av. Marqués de Comillas, s/n; www.tablaodecarmen. com).

Musikkneipen

Razzmatazz/The Loft (Pamplona, 88; www. salarazzmatazz.com); **Otto Zutz** (Lincoln, 15; www. ottozutz.es); **Red Lounge** (P. Joan de Borbó, 78; www.redloungeBarcelona. com); **Space** (Tarragona, 141-147; www.spacebarcelona.com); **Sala Apolo** (Nou de la Rambla, 111-113; www.sala-apolo.com); **Pacha** (Dr. Marañón, 17; www.clubpachaBarcelona.com); **Moog** (arc del Teatre,3; www.masimas. com); **Shôko Lounge Club** (P. Marítim, 36, www.shoko.biz); **Duvet**

(Córcega, 327; www.duvet. es); **Broadbar** (Aribau, 191; www.broadbar.com); **Luz de Gas** (Muntaner, 246; www.luzdegas.com); **Arena Classic** (Diputació, 233; gayfriendly; www. arenadisco.com); **Arena Vip** (Gran Via, 593); **Bikini** (Av. Diagonal, 547; www. bikiniBarcelona.com); **Zac Club** (Diagonal, 477; www. zac-club.com); **Elephant** (Passeig dels Til·lers, 1; www.elephantBarcelona. com); **Sidecar** (Pl. Reial, 7; www.sidecarfactory.com); **Belly** (Casanova, 48; gayfriendly); **Dietrich** (Consell de Cent, 255; gayfriendly); **Metro** (Sepúlveda, 185; www.metrodiscoBarcelona.com; gayfriendly); **Magic Club** (Passeig Picasso, 40; www.magic-club.net).

Palau de la Música Catalana

Flamenco

Club

Sport

Die Leidenschaft für den Sport geht in Barcelona auf das Ende des 19. Jh. zurück, als die Stadt als erste zahlreiche Sportarten in Spanien einführte. Diese Tradition hat zur Gründung vieler Sportvereine geführt, von denen einige schon seit über hundert Jahren bestehen. Auch die Ausrichtung der Olympischen Spiele gehört in diese Tradition. Turisme de Barcelona veröffentlicht die Broschüre *Barcelona Sports*, einen Führer aller internationalen Events. Barcelona – topfit:: erleben Sie die Stadt sportlich.

Fußball
Champions League
Der FC Barcelona nimmt fast jedes Jahr in der höchsten Wettbewerbskategorie der europäischen Clubs teil. Information zu den Spielen unter www.uefa.com
Primera División
Der FC Barcelona und der RCD Espanyol, zwei hundertjährige Vereine, spielen an jedem Wochenende abwechselnd in der Stadt in einer der besten Ligen der Welt. Kartenkauf, Mieten einer Loge oder eines VIP-Platzes auf den Webs:
www.fcbarcelona.cat +
www.rcdespanyol.com.
Turniere
In der zweiten Augusthälfte werden das Trofeo Joan Gamper (www.fcbarcelona.cat)sowie das Turnier Ciutat de Barcelona (www.rcdespanyol.com).

Motorsport
Vom 2. – 6. Mai findet der Grand Prix von Spanien in der Formel-1 statt (www.circuitcat.com).
Im Juni **Grand Prix von Katalonien bei der Motorrad-WM** in den Klassen 125 cc, Moto2 + MotoGP (www.circuitcat.com).
Im Februar **Trial Indoor Barcelona**, führend in der Disziplin (www.rpmracing.com).
Im April **1.000 km der Katalonien-Le Mans Series**. www.circuitcat.com.
Übungsmöglichkeiten
Circuit de Catalunya
www.circuitcat.com
T 93 571 97 00
Das ganze Jahr über 30minütige Fahrten mit Auto oder Motorrad. Zeiten + Preise s. Web.

Tenis
Ende April findet das **Turnier Conde de Godó** statt (www.rctb1899.es), das wichtigste internationale Tennisturnier in Spanien. Kategorie ATP: International Series Gold. Austragungsort:: Real Club de Tenis Barcelona, gegründet 1899.
Übungsmöglichkeiten
Club de Tennis Vall Parc (www.vallparc.com; T 93 212 67 89); **Nova Icària Esports** (Av. Icària, 167 T 93 221 25 80) **Tennis Pompeia** (Foixarda, s/n, Montjuïc; T 93 325 13 48); **Club Bonasport** (Vista Bella, 11; T 93 254 15 00).

Reiten
Im September findet das **Internationale Reitturnier** (www.csiobarcelona.com) statt, gehört. Austragungsort: Real Club de Polo, Barcelona, gegründet 1897.
www.rcpb.com
Übungsmöglichkeiten
Escola Municipal d'Hípica (Av. Montanyans, 1; T 93 426 10 66); **Hípica Sant Cugat** (www.hipica-santcugat.es; T 616 868 881); **Hípica Sant Pau d'Ordal** (www.hipicasantpau.com; T 938 993 029).

Golf
Übungsmöglichkeiten
Auf dem Montjuïc, inkl. Verleih der Ausrüstung. Sonntags, Green Fee Pitch&Putt. Zeiten + Preise: www.golfmontjuic.com; Barcelona Golf bietet außerdem das ganze Jahr über die Möglichkeit, eine Partie zwischen einer, zwei oder drei Personen mit einem professionellen Spieler auf einem 9- oder 18-Loch-Platz als „four ball"-Match zu spielen. Zeiten + Preise: www.barcelonaturisme.cat www.golfmontjuic.com

Wassersport
Im Mai wird die **Segelregatta Conde de Godó** (www.regatagodo.com) mit ihrer 130-jährigen Geschichte vom Real Club Náutico Barcelona ausgetragen (www.rcnb.com). 31. Dezember 2010 Start des 2. **Barcelona World Race** über mehr als 25.000 Seemeilen, nonstop und mit Assistenz (www.barcelonaworldrace.org).
Übungsmöglichkeiten
Centre Municipal de Vela (Moll de Gregal, s/n; T 93 225 79 40); **Base Nàutica** (Av. Litoral, s/n; T 93 221 04 32).

Radsport
Im Mai findet die **Katalonien-Rundfahrt** statt (www.voltacatalunya.cat).
Im Juni findet das beliebte **Rad- und Skate-Fest**